Le Docteur Ox

Jules Verne

Copyright pour le texte et la couverture © 2023 Culturea
Edition : Culturea (culurea.fr), 34 Hérault
Contact : infos@culturea.fr
Impression : BOD, Norderstedt (Allemagne)
ISBN : 9791041839872
Date de publication : juillet 2023
Mise en page et maquettage : https://reedsy.com/
Cet ouvrage a été composé avec la police Bauer Bodoni
Tous droits réservés pour tous pays.

Le Docteur Ox

I

Comme quoi il est inutile de chercher, même sur les meilleures cartes, la petite ville de Quiquendone.

Si vous cherchez sur une carte des Flandres, ancienne ou moderne, la petite ville de Quiquendone, il est probable que vous ne l'y trouverez pas. Quiquendone est-elle donc une cité disparue? Non. Une ville à venir? Pas davantage. Elle existe, en dépit des géographies, et cela depuis huit à neuf cents ans. Elle compte même deux mille trois cent quatre-vingt-treize âmes, en admettant une âme par chaque habitant. Elle est située à treize kilomètres et demi dans le nord-ouest d'Audenarde et à quinze kilomètres un quart dans le sud-est de Bruges, en pleine Flandre. Le Vaar, petit affluent de l'Escaut, passe sous ses trois ponts, encore recouverts d'une antique toiture du moyen âge, comme à Tournay. On y admire un vieux château, dont la première pierre fut posée, en 1197, par le comte Baudouin, futur empereur de Constantinople, et un hôtel de ville à demi-fenêtres gothiques, couronné d'un chapelet de créneaux, que domine un beffroi à tourelles, élevé de trois cent cinquante-sept pieds au-dessus du sol. On y entend, à chaque heure, un carillon de cinq octaves, véritable piano aérien, dont la renommée surpasse celle du célèbre carillon de Bruges. Les étrangers—s'il en est jamais venu à Quiquendone—ne quittent point cette curieuse ville sans avoir visité sa salle des stathouders, ornée du portrait en pied de Guillaume de Nassau par Brandon; le jubé de l'église Saint-Magloire, chef-d'oeuvre de l'architecture du XVIe siècle; le puits en fer forgé qui se creuse au milieu de la grande place Saint-Ernuph, dont l'admirable ornementation est due au peintre-forgeron Quentin Metsys; le tombeau élevé autrefois à Marie de Bourgogne, fille de Charles le Téméraire, qui repose maintenant dans l'église de Notre-Dame de Bruges, etc. Enfin, Quiquendone a pour principale industrie la fabrication des crèmes fouettées et des sucres d'orge sur une grande échelle. Elle est administrée de père en fils depuis plusieurs siècles par la famille van Tricasse! Et pourtant Quiquendone ne figure pas sur la carte des Flandres! Est-ce oubli des géographes, est-ce omission volontaire? C'est ce que je ne puis vous dire; mais Quiquendone existe bien réellement avec ses rues étroites, son enceinte fortifiée, ses maisons espagnoles, sa halle et son bourgmestre,—à telles enseignes qu'elle a été récemment le théâtre de phénomènes surprenants, extraordinaires, invraisemblables autant que véridiques, et qui vont être fidèlement rapportés dans le présent récit.

Certes, il n'y a aucun mal à dire ni à penser des Flamands de la Flandre occidentale. Ce sont des gens de bien, sages, parcimonieux, sociables, d'humeur égale, hospitaliers, peut-être un peu lourds par le langage et l'esprit; mais cela n'explique pas pourquoi l'une des plus intéressantes villes de leur territoire en est encore à figurer dans la cartographie moderne.

Cette omission est certainement regrettable. Si encore l'histoire, ou à défaut de l'histoire les chroniques, ou à défaut des chroniques la tradition du pays, faisaient mention de Quiquendone! Mais non, ni les atlas, ni les guides, ni les itinéraires n'en parlent. M. Joanne lui-même, le perspicace dénicheur de bourgades, n'en dit pas un mot. On conçoit combien ce silence doit nuire au commerce, à l'industrie de cette ville. Mais nous nous hâterons d'ajouter que Quiquendone n'a ni industrie ni commerce, et qu'elle s'en passe le mieux du monde. Ses sucres d'orge et ses crèmes fouettées, elle les consomme sur place et ne les exporte pas. Enfin les Quiquendoniens n'ont besoin de personne. Leurs désirs sont restreints, leur existence est modeste; ils sont calmes, modérés, froids, flegmatiques, en un mot «Flamands», comme il s'en rencontre encore quelquefois entre l'Escaut et la mer du Nord.

II

Où le bourgmestre van Tricasse et le conseiller Niklausse s'entretiennent des affaires de la ville.

«Vous croyez? demanda le bourgmestre.

—Je le crois, répondit le conseiller, après quelques minutes de silence.

—C'est qu'il ne faut point agir à la légère, reprit le bourgmestre.

—Voilà dix ans que nous causons de cette affaire si grave, répliqua le conseiller Niklausse, et je vous avoue, mon digne van Tricasse, que je ne puis prendre encore sur moi de me décider.

—Je comprends votre hésitation, reprit le bourgmestre, qui ne parla qu'après un bon quart d'heure de réflexion, je comprends votre hésitation et je la partage. Nous ferons sagement de ne rien décider avant un plus ample examen de la question.

—Il est certain, répondit Niklausse, que cette place de commissaire civil est inutile dans une ville aussi paisible que Quiquendone.

—Notre prédécesseur, répondit van Tricasse d'un ton grave, notre prédécesseur ne disait jamais, n'aurait jamais osé dire qu'une chose est certaine. Toute affirmation est sujette à des retours désagréables.»

Le conseiller hocha la tête en signe d'assentiment, puis il demeura silencieux une demi-heure environ. Après ce laps de temps, pendant lequel le conseiller et le bourgmestre ne remuèrent pas même un doigt, Niklausse demanda à van Tricasse si son prédécesseur—il y a quelque vingt ans—n'avait pas eu comme lui la pensée de supprimer cette place de commissaire civil, qui, chaque année, grevait la ville de Quiquendone d'une somme de treize cent soixante-quinze francs et des centimes.

«En effet, répondit le bourgmestre, qui porta avec une majestueuse lenteur sa main à son front limpide, en effet; mais ce digne homme est mort avant d'avoir osé prendre une détermination, ni à cet égard, ni à l'égard d'aucune autre mesure administrative. C'était un sage. Pourquoi ne ferais-je pas comme lui?»

Le conseiller Niklausse eût été incapable d'imaginer une raison qui pût contredire l'opinion du bourgmestre.

«L'homme qui meurt sans s'être jamais décidé à rien pendant sa vie, ajouta gravement van Tricasse, est bien près d'avoir atteint la perfection en ce monde!»

Cela dit, le bourgmestre pressa du bout du petit doigt un timbre au son voilé, qui fit entendre moins un son qu'un soupir. Presque aussitôt, quelques pas légers glissèrent doucement sur les carreaux du palier. Une souris n'eût pas fait moins de bruit en trottinant sur une épaisse moquette. La porte de la chambre s'ouvrit en tournant sur ses gonds huilés. Une jeune fille blonde, à longues tresses, apparut. C'était Suzel van Tricasse, la fille unique du bourgmestre. Elle remit à son père avec sa pipe bourrée à point un petit brasero de cuivre, ne prononça pas une parole, et disparut aussitôt, sans que sa sortie eût produit plus de bruit que son entrée.

L'honorable bourgmestre alluma l'énorme fourneau de son instrument, et s'effaça bientôt dans un nuage de fumée bleuâtre, laissant le conseiller Niklausse plongé au milieu des plus absorbantes réflexions.

La chambre dans laquelle causaient ainsi ces deux notables personnages, chargés de l'administration de Quiquendone, était un parloir richement orné de sculptures en bois sombre. Une haute cheminée, vaste foyer dans lequel eût pu brûler un chêne ou rôtir un boeuf, occupait tout un panneau du parloir et faisait face à une fenêtre à treillis, dont les vitraux peinturlurés tamisaient doucement les rayons du jour. Dans un cadre antique, au-dessus de la cheminée, apparaissait le portrait d'un bonhomme quelconque, attribué à Hemling, qui devait représenter un ancêtre des van Tricasse, dont la généalogie remonte authentiquement au quatorzième siècle, époque à laquelle les Flamands et Gui de Dampierre eurent à lutter contre l'empereur Rodolphe de Hapsbourg.

Ce parloir faisait partie de la maison du bourgmestre, l'une des plus agréables de Quiquendone. Construite dans le goût flamand et avec tout l'imprévu, le caprice, le pittoresque, le fantaisiste que comporte l'architecture ogivale, on la citait entre les plus curieux monuments de la ville. Un couvent de chartreux ou un établissement de sourds-muets n'eussent pas été plus silencieux que cette habitation. Le bruit n'y existait pas; on n'y marchait pas, on y glissait; on n'y parlait pas, on y murmurait. Et cependant les femmes ne manquaient point à la maison, qui, sans compter le bourgmestre van Tricasse, abritait encore sa femme, Mme Brigitte van Tricasse, sa fille, Suzel van Tricasse, et sa servante, Lotchè Janshéu. Il convient de citer aussi la soeur du bourgmestre, la tante Hermance, vieille fille répondant encore au nom de Tatanémance, que lui donnait autrefois sa nièce Suzel, du temps qu'elle était petite fille. Eh bien, malgré tous ces éléments de discorde, de bruit, de bavardage, la maison du bourgmestre était calme comme le désert.

Le bourgmestre était un personnage de cinquante ans, ni gras ni maigre, ni petit ni grand, ni vieux ni jeune, ni coloré ni pâle, ni gai ni triste, ni content ni ennuyé, ni énergique ni mou, ni fier ni humble, ni bon ni méchant, ni généreux ni avare, ni brave ni poltron, ni trop ni trop peu,—*ne quid nimis*,—un homme modéré en tout; mais à la lenteur invariable de ses mouvements, à sa mâchoire inférieure un peu pendante, à sa paupière supérieure immuablement relevée, à son front uni comme une plaque de cuivre jaune et sans une ride, à ses muscles peu saillants, un physionomiste eût sans peine reconnu que le bourgmestre van Tricasse était le flegme personnifié. Jamais,—ni par la colère, ni par la passion,—jamais une émotion quelconque n'avait accéléré les mouvements du coeur de cet homme ni rougi sa face; jamais ses pupilles ne s'étaient contractées sous l'influence d'une irritation, si passagère qu'on voudrait la supposer. Il était invariablement vêtu de bons habits ni trop larges ni trop étroits, qu'il ne parvenait pas à user. Il était chaussé de gros souliers carrés à triple semelle et à boucles d'argent, qui, par leur durée, faisaient le désespoir de son cordonnier. Il était coiffé d'un large chapeau, qui datait de l'époque à laquelle la Flandre fut décidément séparée de la Hollande, ce qui attribuait à ce vénérable couvre-chef une durée de quarante ans. Mais que voulez-vous? Ce sont les passions qui usent le corps aussi bien que l'âme, les habits aussi bien que le corps, et notre digne bourgmestre, apathique, indolent, indifférent, n'était passionné en rien. Il n'usait pas et ne s'usait pas, et par cela même il se trouvait précisément l'homme qu'il fallait pour administrer la cité de Quiquendone et ses tranquilles habitants.

La ville, en effet, n'était pas moins calme que la maison van Tricasse. Or c'était dans cette paisible demeure que le bourgmestre comptait atteindre les limites les plus reculées de l'existence humaine, après avoir vu toutefois la bonne Mme Brigitte van Tricasse, sa femme, le précéder au tombeau, où elle ne trouverait certainement pas un repos plus profond que celui qu'elle goûtait depuis soixante ans sur la terre.

Ceci mérite une explication.

La famille van Tricasse aurait pu s'appeler justement *la famille Jeannot*. Voici pourquoi:

Chacun sait que le couteau de ce personnage typique est aussi célèbre que son propriétaire et non moins inusable, grâce à cette double opération incessamment renouvelée, qui consiste à remplacer le manche quand il est usé et la lame quand elle ne vaut plus rien. Telle était l'opération, absolument identique, pratiquée depuis un temps immémorial dans la famille van Tricasse, et à laquelle la nature s'était prêtée avec une complaisance un peu extraordinaire. Depuis 1340, on avait toujours vu invariablement un van Tricasse, devenu veuf, se remarier avec une van Tricasse, plus jeune que lui, qui, veuve, convolait avec un van Tricasse plus jeune qu'elle, qui veuf, etc., sans solution de continuité. Chacun mourait à son tour avec une régularité mécanique. Or la digne Mme Brigitte van Tricasse en était à son deuxième mari, et, à moins de manquer à tous ses devoirs, elle devait précéder dans l'autre monde son époux, de dix ans plus jeune qu'elle, pour faire place à une nouvelle van Tricasse. Sur quoi l'honorable bourgmestre comptait absolument, afin de ne point rompre les traditions de la famille.

Telle était cette maison, paisible et silencieuse, dont les portes ne criaient pas, dont les vitres ne grelottaient pas, dont les parquets ne gémissaient pas, dont les cheminées ne ronflaient pas, dont les girouettes ne grinçaient pas, dont les meubles ne craquaient pas, dont les serrures ne cliquetaient pas, et dont les hôtes ne faisaient pas plus de bruit que leur ombre. Le divin Harpocrate l'eût certainement choisie pour le temple du silence.

III

Où le commissaire Passauf fait une entrée aussi bruyante qu'inattendue.

Lorsque l'intéressante conversation que nous avons rapportée plus haut avait commencé entre le conseiller et le bourgmestre, il était deux heures trois quarts après midi. Ce fut à trois heures quarante-cinq minutes que van Tricasse alluma sa vaste pipe, qui pouvait contenir un quart de tabac, et ce fut à cinq heures et trente-cinq minutes seulement qu'il acheva de fumer.

Pendant tout ce temps, les deux interlocuteurs n'échangèrent pas une seule parole.

Vers six heures, le conseiller, qui procédait toujours par prétermission ou aposiopèse, reprit en ces termes:

«Ainsi nous nous décidons?...

—À ne rien décider, répliqua le bourgmestre.

—Je crois, en somme, que vous avez raison, van Tricasse.

—Je le crois aussi, Niklausse. Nous prendrons une résolution à l'égard du commissaire civil quand nous serons mieux édifiés ... plus tard ... Nous ne sommes pas à un mois près.

—Ni même à une année,» répondit Niklausse, en dépliant son mouchoir de poche, dont il se servit, d'ailleurs, avec une discrétion parfaite.

Un nouveau silence, qui dura une bonne heure, s'établit encore. Rien ne troubla cette nouvelle halte dans la conversation, pas même l'apparition du chien de la maison, l'honnête Lento, qui, non moins flegmatique que son maître, vint faire poliment un tour de parloir. Digne chien! Un modèle pour tous ceux de son espèce. Il eût été en carton, avec des roulettes aux pattes, qu'il n'eût pas fait moins de bruit pendant sa visite.

Vers huit heures, après que Lotchè eut apporté la lampe antique à verre dépoli, le bourgmestre dit au conseiller:

«Nous n'avons pas d'autre affaire urgente à expédier, Niklausse?

—Non, van Tricasse, aucune, que je sache.

—Ne m'a-t-on pas dit, cependant, demanda le bourgmestre, que la tour de la porte d'Audenarde menaçait ruine?

—En effet, répondit le conseiller, et, vraiment, je ne serais pas étonné qu'un jour ou l'autre elle écrasât quelque passant.

—Oh! reprit le bourgmestre, avant qu'un tel malheur arrive, j'espère bien que nous aurons pris une décision à l'endroit de cette tour.

—Je l'espère, van Tricasse.

—Il y a des questions plus pressantes à résoudre.

—Sans doute, répondit le conseiller, la question de la halle aux cuirs, par exemple.

—Est-ce qu'elle brûle toujours? demanda le bourgmestre.

—Toujours, depuis trois semaines.

—N'avons-nous pas décidé en conseil de la laisser brûler?

—Oui, van Tricasse, et cela sur votre proposition.

—N'était-ce pas le moyen le plus sûr et le plus simple d'avoir raison de cet incendie?

—Sans contredit.

—Eh bien, attendons. C'est tout?

—C'est tout, répondit le conseiller, qui se grattait le front comme pour s'assurer qu'il n'oubliait pas quelque affaire importante.

—Ah! fit le bourgmestre, n'avez-vous pas entendu parler aussi d'une fuite d'eau qui menace d'inonder le bas quartier de Saint-Jacques?

—En effet, répondit le conseiller. Il est même fâcheux que cette fuite d'eau ne se soit pas déclarée au-dessus de la halle aux cuirs! Elle eût naturellement combattu l'incendie, et cela nous aurait épargné bien des frais de discussion.

—Que voulez-vous, Niklausse, répondit le digne bourgmestre, il n'y a rien d'illogique comme les accidents. Ils n'ont aucun lien entre eux, et l'on ne peut pas, comme on le voudrait, profiter de l'un pour atténuer l'autre.»

Cette fine observation de van Tricasse exigea quelque temps pour être goûtée par son interlocuteur et ami.

«Eh mais? reprit quelques instants plus tard le conseiller Niklausse, nous ne parlons même pas de notre grande affaire!

—Quelle grande affaire? Nous avons donc une grande affaire? demanda le bourgmestre.

—Sans doute. Il s'agit de l'éclairage de la ville.

—Ah! oui, répondit le bourgmestre, si ma mémoire est fidèle, vous voulez parler de l'éclairage du docteur Ox?

—Précisément.

—Eh bien?

—Cela marche, Niklausse, répondit le bourgmestre. On procède déjà à la pose des tuyaux, et l'usine est entièrement achevée.

—Peut-être nous sommes-nous un peu pressés dans cette affaire, dit le conseiller en hochant la tête.

—Peut-être, répondit le bourgmestre, mais notre excuse, c'est que le docteur Ox fait tous les frais de son expérience. Cela ne nous coûtera pas un denier.

—C'est, en effet, notre excuse. Puis, il faut bien marcher avec son siècle. Si l'expérience réussit, Quiquendone sera la première ville des Flandres éclairée au gaz oxy ... Comment appelle-t-on ce gaz-là?

—Le gaz oxy-hydrique.

—Va donc pour le gaz oxy-hydrique.»

En ce moment, la porte s'ouvrit, et Lotchè vint annoncer au bourgmestre que son souper était prêt.

Le conseiller Niklausse se leva pour prendre congé de van Tricasse, que tant de décisions prises et tant d'affaires traitées avaient mis en appétit; puis il fut convenu que l'on assemblerait dans un délai assez éloigné le conseil des notables, afin de décider si l'on prendrait provisoirement une décision sur la question véritablement urgente de la tour d'Audenarde.

Les deux dignes administrateurs se dirigèrent alors vers la porte qui s'ouvrait sur la rue, l'un reconduisant l'autre. Le conseiller, arrivé au dernier palier, alluma une petite lanterne qui devait le guider dans les rues obscures de Quiquendone, que l'éclairage du docteur Ox n'illuminait pas encore. La nuit était noire, on était au mois d'octobre, et un léger brouillard embrumait la ville.

Les préparatifs de départ du conseiller Niklausse demandèrent un bon quart d'heure, car, après avoir allumé sa lanterne, il dut chausser ses gros socques articulés en peau de vache et ganter ses épaisses moufles en peau de mouton; puis il releva le collet fourré de sa redingote, rabattit son feutre sur ses yeux, assura dans sa main son lourd parapluie à bec de corbin, et se disposa à sortir.

Au moment où Lotchè, qui éclairait son maître, allait retirer la barre de la porte, un bruit inattendu éclata au dehors.

Oui! dût la chose paraître invraisemblable, un bruit un véritable bruit, tel que la ville n'en avait certainement pas entendu depuis la prise du donjon par les Espagnols, en 1513, un effroyable bruit éveilla les échos si profondément endormis de la vieille maison van Tricasse. On heurtait cette porte, vierge jusqu'alors de tout attouchement brutal! On frappait à coups redoublés avec un instrument contondant qui devait être un bâton noueux manié par une main robuste! Aux coups se mêlaient des cris, un appel. On entendait distinctement ces mots:

«Monsieur van Tricasse! monsieur le bourgmestre! ouvrez, ouvrez vite!»

Le bourgmestre et le conseiller, absolument ahuris, se regardaient sans mot dire. Ceci passait leur imagination. On eût tiré dans le parloir la vieille couleuvrine du château, qui n'avait pas fonctionné depuis 1385, que les habitants de la maison van Tricasse n'auraient pas été plus «épatés». Qu'on nous passe ce mot, qu'on excuse sa trivialité en faveur de sa justesse.

Cependant, les coups, les cris, les appels redoublaient. Lotchè, reprenant son sang-froid, se hasarda à parler.

«Qui est là? demanda-t-elle.

—C'est moi! moi! moi!

—Qui, vous?

—Le commissaire Passauf!»

Le commissaire Passauf! Celui-là même dont il était question, depuis dix ans, de supprimer la charge. Que se passait-il donc? Les Bourguignons auraient-ils envahi Quiquendone comme au XIVe siècle! Il ne fallait rien moins qu'un événement de cette importance pour émotionner à ce point le commissaire Passauf, qui ne le cédait en rien, pour le calme et le flegme, au bourgmestre lui-même.

Sur un signe de van Tricasse,—car le digne homme n'aurait pu articuler une parole,—la barre fut repoussée et la porte s'ouvrit.

Le commissaire Passauf se précipita dans l'antichambre. On eût dit un ouragan.

«Qu'y a-t-il, monsieur le commissaire? demanda Lotchè, une brave fille qui ne perdait pas la tête dans les circonstances les plus graves.

—Ce qu'il y a! répondit Passauf, dont les gros yeux ronds exprimaient une émotion réelle. Il y a que je viens de la maison du docteur Ox, où il y avait réception, et que là....

—Là? fit le conseiller.

—Là, j'ai été témoin d'une altercation telle que ... monsieur le bourgmestre, on a parlé politique!

—Politique! répéta van Tricasse en hérissant sa perruque.

—Politique! reprit le commissaire Passauf, ce qui ne s'était pas fait depuis cent ans peut-être à Quiquendone. Alors la discussion s'est montée. L'avocat André Schut et le médecin Dominique Custos se sont pris à partie avec une violence qui les amènera peut-être sur le terrain.

—Sur le terrain! s'écria le conseiller. Un duel! Un duel à Quiquendone! Et que se sont donc dit l'avocat Schut et le médecin Custos?

—Ceci textuellement: «Monsieur l'avocat, a dit le médecin à son adversaire, vous allez un peu loin, ce me semble, et vous ne songez pas suffisamment à mesurer vos paroles!»

Le bourgmestre van Tricasse joignit les mains. Le conseiller pâlit et laissa choir sa lanterne. Le commissaire hocha la tête. Une phrase si évidemment provocatrice, prononcée par deux notables du pays!

«Ce médecin Custos, murmura van Tricasse, est décidément un homme dangereux, une tête exaltée! Venez, messieurs!»

Et sur ce, le conseiller Niklausse et le commissaire rentrèrent dans le parloir avec le bourgmestre van Tricasse.

IV

Où le docteur Ox se révèle comme un physiologiste de premier ordre et un audacieux expérimentateur.

Quel est donc ce personnage connu sous le nom bizarre de docteur Ox?

Un original à coup sûr, mais en même temps un savant audacieux, un physiologiste dont les travaux sont connus et appréciés de toute l'Europe savante, un rival heureux des Davy, des Dalton, des Bostock, des Menzies, des Godwin, des Vierordt, de tous ces grands esprits qui ont mis la physiologie au premier rang des sciences modernes.

Le docteur Ox était un homme demi-gros, de taille moyenne, âgé de ... mais nous ne saurions préciser son âge, non plus que sa nationalité. D'ailleurs, peu importe: il suffit qu'on sache bien que c'était un étrange personnage, au sang chaud et impétueux, véritable excentrique échappé d'un volume d'Hoffmann, et qui contrastait singulièrement, on n'en peut douter, avec les habitants de Quiquendone. Il avait en lui, en ses doctrines, une imperturbable confiance. Toujours souriant, marchant tête haute, épaules dégagées, aisément, librement, regard assuré, larges narines bien ouvertes, vaste bouche qui humait l'air par grandes aspirations, sa personne plaisait à voir. Il était vivant, bien vivant, lui, bien équilibré dans toutes les parties de sa machine, bien allant, avec du vif argent dans les veines et un cent d'aiguilles sous les pieds. Aussi ne pouvait-il jamais rester en place, et s'échappait-il en paroles précipitées et en gestes surabondants.

Était-il donc riche, ce docteur Ox, qui venait entreprendre à ses frais l'éclairage d'une ville tout entière?

Probablement, puisqu'il se permettait de telles dépenses, et c'est la seule réponse que nous puissions faire à cette demande indiscrète.

Le docteur Ox était arrivé depuis cinq mois à Quiquendone, en compagnie de son préparateur, qui répondait au nom de Gédéon Ygène, un grand, sec, maigre, tout en hauteur, mais non moins vivant que son maître.

Et maintenant, pourquoi le docteur Ox avait-il soumissionné, et à ses frais, l'éclairage de la ville? Pourquoi avait-il précisément choisi les paisibles Quiquendoniens, ces Flamands entre tous les Flamands, et voulait-il doter leur cité des bienfaits d'un éclairage hors ligne? Sous ce prétexte, ne voulait-il pas essayer quelque grande expérience physiologique, en opérant *in anima vili*?

Enfin qu'allait tenter cet original? C'est ce que nous ne savons pas, le docteur Ox n'ayant pas d'autre confident que son préparateur Ygène, qui, d'ailleurs, lui obéissait aveuglément.

En apparence, tout au moins, le docteur Ox s'était engagé à éclairer la ville, qui en avait bien besoin, «la nuit surtout», disait finement le commissaire Passauf. Aussi, une usine pour la production d'un gaz éclairant avait-elle été installée. Les gazomètres étaient prêts à fonctionner, et les tuyaux de conduite, circulant sous le pavé des rues, devaient avant peu s'épanouir sous forme de becs dans les édifices publics et même dans les maisons particulières de certains amis du progrès.

En sa qualité de bourgmestre, van Tricasse, et en sa qualité de conseiller, Niklausse, puis quelques autres notables, avaient cru devoir autoriser dans leurs habitations l'introduction de ce moderne éclairage.

Si le lecteur ne l'a pas oublié, pendant cette longue conversation du conseiller et du bourgmestre, il fut dit que l'éclairage de la ville serait obtenu, non point par la combustion du vulgaire hydrogène carburé que fournit la distillation de la houille, mais bien par l'emploi d'un gaz plus moderne, et vingt fois plus brillant, le gaz oxy-hydrique, que produisent l'hydrogène et l'oxygène mélangés.

Or, le docteur, habile chimiste et ingénieux physicien, savait obtenir ce gaz en grande masse et à bon compte, non point en employant le manganate de soude, suivant les procédés de M. Tessié du Motay, mais tout simplement en décomposant l'eau, légèrement acidulée, au moyen d'une pile faite d'éléments nouveaux et inventée par lui. Ainsi, point de substances coûteuses, point de platine, point de cornues, point de combustible, pas d'appareil délicat pour produire isolément les deux gaz. Un courant électrique traversait de vastes cuves pleines d'eau, et l'élément liquide se décomposait en ses deux parties constitutives, l'oxygène et l'hydrogène. L'oxygène s'en allait d'un côté; l'hydrogène, en volume double de son ancien associé, s'en allait d'un autre. Tous deux étaient recueillis dans des réservoirs séparés,—précaution essentielle, car leur mélange eût produit une épouvantable explosion, s'il se fût enflammé. Puis, des tuyaux devaient les conduire séparément aux divers becs, qui seraient disposés de manière à prévenir toute explosion. Il se produirait alors une flamme remarquablement brillante, flamme dont l'éclat rivalise avec celui de la lumière électrique, qui,—chacun le sait de reste—est, d'après les expériences de Casselmann, égale à celle de onze cent soixante et onze bougies,—pas une de plus, pas une de moins.

Il était certain que la cité de Quiquendone gagnerait, à cette généreuse combinaison, un éclairage splendide; mais c'était là ce dont le docteur Ox et son préparateur se préoccupaient le moins, ainsi qu'on le verra par la suite.

Précisément, le lendemain du jour où le commissaire Passauf avait fait cette bruyante apparition dans le parloir du bourgmestre, Gédéon Ygène et le docteur Ox causaient tous les deux dans le cabinet de travail qui leur était commun, au rez-de-chaussée du principal bâtiment de l'usine.

«Eh bien, Ygène, eh bien! s'écria le docteur Ox en se frottant les mains. Vous les avez vus, hier, à notre réception, ces bons Quiquendoniens à sang-froid qui tiennent, pour la vivacité des passions, le milieu entre les éponges et les excroissances coralligènes! Vous les avez vus, se disputant, se provoquant de la voix et du geste! Déjà métamorphosés moralement et physiquement! Et cela ne fait que commencer! Attendez-les au moment où nous les traiterons à haute dose!

—En effet, maître, répondit Gédéon Ygène, en grattant son nez pointu du bout de l'index, l'expérience débute bien, et si moi-même je n'avais pas prudemment fermé le robinet d'écoulement, je ne sais pas ce qui serait arrivé.

—Vous avez entendu cet avocat Schut et ce médecin Custos? reprit le docteur Ox. La phrase en elle-même n'était point méchante, mais, dans la bouche d'un Quiquendonien, elle vaut toute la série des injures que les héros d'Homère se jettent à la tête avant de dégainer. Ah! ces Flamands! vous verrez ce que nous en ferons un jour.

—Nous en ferons des ingrats, répondit Gédéon Ygène du ton d'un homme qui estime l'espèce humaine à sa juste valeur.

—Bah! fit le docteur, peu importe qu'ils nous sachent gré ou non, si notre expérience réussit!

—D'ailleurs, ajouta le préparateur en souriant d'un air malin, n'est-il pas à craindre qu'en produisant une telle excitation dans leur appareil respiratoire nous ne désorganisions un peu leurs poumons, à ces honnêtes habitants de Quiquendone?

—Tant pis pour eux, répondit le docteur Ox. C'est dans l'intérêt de la science! Que diriez-vous si les chiens ou les grenouilles se refusaient aux expériences de vivisection?»

Il est probable que, si l'on consultait les grenouilles et les chiens, ces animaux feraient quelques objections aux pratiques des vivisecteurs; mais le docteur Ox croyait avoir trouvé là un argument irréfutable, car il poussa un vaste soupir de satisfaction.

«Après tout, maître, vous avez raison, répondit Gédéon Ygène d'un air convaincu. Nous ne pouvions trouver mieux que ces habitants de Quiquendone.

—Nous ne le pouvions pas, dit le docteur en articulant chaque syllabe.

—Vous leur avez tâté le pouls, à ces êtres-là?

—Cent fois.

—Et quelle est la moyenne des pulsations observées?

—Pas cinquante par minute. Comprenez donc: une ville où depuis un siècle il n'y a pas eu l'ombre de discussion, où les charretiers ne jurent pas, où les cochers ne s'injurient pas, où les chevaux ne s'emportent pas, où les chiens ne mordent pas, où les chats ne griffent pas! une ville dont le tribunal de simple police chôme d'un bout de l'année à l'autre! une ville où l'on ne se passionne pour rien, ni pour les arts, ni pour les affaires! une ville où les gendarmes sont à l'état de mythes, et dans laquelle pas un procès-verbal n'a été dressé en cent années! une ville enfin où, depuis trois cents ans, il ne s'est pas donné un coup de poing ni échangé une gifle! Vous comprenez bien, maître Ygène, que cela ne peut pas durer et que nous modifierons tout cela.

—Parfait! parfait! répliqua le préparateur enthousiasmé. Et l'air de cette ville, maître, vous l'avez analysé?

—Je n'y ai point manqué. Soixante-dix-neuf parties d'azote et vingt et une parties d'oxygène, de l'acide carbonique et de la vapeur d'eau en quantité variable. Ce sont les proportions ordinaires.

—Bien, docteur, bien, répondit maître Ygène. L'expérience se fera en grand, et elle sera décisive.

—Et si elle est décisive, ajouta le docteur Ox d'un air triomphant, nous réformerons le monde.»

V

Où le bourgmestre et le conseiller vont faire une visite au docteur Ox, et ce qui s'ensuit.

Le conseiller Niklausse et le bourgmestre van Tricasse surent enfin ce que c'était qu'une nuit agitée. Le grave événement qui s'était accompli dans la maison du docteur Ox leur causa une véritable insomnie. Quelles conséquences aurait cette affaire? ils ne pouvaient l'imaginer. Y aurait-il une décision à prendre? L'autorité municipale, représentée par eux, serait-elle forcée d'intervenir? Édicterait-on des arrêtés pour qu'un pareil scandale ne se renouvelât pas?

Tous ces doutes ne pouvaient que troubler ces molles natures. Aussi, la veille, avant de se séparer, les deux notables avaient-ils «décidé» de se revoir le lendemain.

Le lendemain donc, avant le dîner, le bourgmestre van Tricasse se transporta de sa personne chez le conseiller Niklausse. Il trouva son ami plus calme. Lui-même avait repris son assiette.

«Rien de nouveau? demanda van Tricasse.

—Rien de nouveau depuis hier, répondit Niklausse.

—Et le médecin Dominique Custos?

—Je n'en ai pas plus entendu parler que de l'avocat André Schut.»

Après une heure de conversation qui tiendrait en trois lignes et qu'il est inutile de rapporter, le conseiller et le bourgmestre avaient résolu de rendre visite au docteur Ox, afin de tirer de lui quelques éclaircissements sans en avoir l'air.

Contrairement à toutes leurs habitudes, cette décision étant prise, les deux notables se mirent en devoir de l'exécuter incontinent. Ils quittèrent la maison et se dirigèrent vers l'usine du docteur Ox, située en dehors de la ville, près de la porte d'Audenarde,—précisément celle dont la tour menaçait ruine.

Le bourgmestre et le conseiller ne se donnaient pas le bras, mais ils marchaient, *passibus aequis*, d'un pas lent et solennel, qui ne les avançait guère que de treize pouces par seconde. C'était, d'ailleurs, l'allure ordinaire de leurs administrés, qui, de mémoire d'homme, n'avaient jamais vu personne courir à travers les rues de Quiquendone.

De temps à autre, à un carrefour calme et tranquille, au coin d'une rue paisible, les deux notables s'arrêtaient pour saluer les gens.

«Bonjour, monsieur le bourgmestre, disait l'un.

—Bonjour, mon ami, répondait van Tricasse.

—Rien de nouveau, monsieur le conseiller? demandait l'autre.

—Rien de nouveau,» répondait Niklausse.

Mais à certains airs étonnés, à certains regards interrogateurs, on pouvait deviner que l'altercation de la veille était connue dans la ville. Rien qu'à la direction suivie par van Tricasse, le plus obtus des Quiquendoniens eût deviné que le bourgmestre allait accomplir quelque grave démarche. L'affaire Custos et Schut occupait toutes les imaginations, mais on n'en était pas encore à prendre parti pour l'un ou pour l'autre. Cet avocat et ce médecin étaient, en somme, deux personnages estimés. L'avocat Schut, n'ayant jamais eu l'occasion de plaider dans une ville où les avoués et les huissiers n'existaient que pour mémoire, n'avait, par conséquent, jamais perdu de procès. Quant au médecin Custos, c'était un honorable praticien, qui, à l'exemple de ses confrères, guérissait les malades de toutes les maladies, excepté de celle dont ils mouraient. Fâcheuse habitude prise, malheureusement, par tous les membres de toutes les Facultés, en quelque pays qu'ils exercent.

En arrivant à la porte d'Audenarde, le conseiller et le bourgmestre firent prudemment un petit crochet pour ne point passer dans le «rayon de chute» de la tour, puis ils la considérèrent avec attention.

«Je crois qu'elle tombera, dit van Tricasse.

—Je le crois aussi, répondit Niklausse.

—À moins qu'on ne l'étaye, ajouta van Tricasse. Mais faut-il l'étayer? Là est la question.

—C'est en effet la question,» répondit Niklausse.

Quelques instants après, ils se présentaient à la porte de l'usine.

«Le docteur Ox est-il visible?» demandèrent-ils.

Le docteur Ox était toujours visible pour les premières autorités de la ville, et celles-ci furent aussitôt introduites dans le cabinet du célèbre physiologiste.

Peut-être les deux notables attendirent-ils une grande heure avant que le docteur parût. Du moins on est fondé à le croire, car le bourgmestre—ce qui ne lui était jamais arrivé de sa vie—montra une certaine impatience, dont son compagnon ne fut pas exempt non plus.

Le docteur Ox entra enfin et s'excusa tout d'abord d'avoir fait attendre ces messieurs; mais un plan de gazomètre à approuver, un branchement à rectifier....

D'ailleurs, tout marchait! Les conduites destinées à l'oxygène étaient déjà posées. Avant quelques mois, la ville serait dotée d'un splendide éclairage. Les deux notables pouvaient déjà voir les orifices des tuyaux qui s'épanouissaient dans le cabinet du docteur.

Puis, le docteur s'informa du motif qui lui procurait l'honneur de recevoir chez lui le bourgmestre et le conseiller.

«Mais vous voir, docteur, vous voir, répondit van Tricasse. Il y a longtemps que nous n'avions eu ce plaisir. Nous sortons peu, dans notre bonne ville de Quiquendone. Nous comptons nos pas et nos démarches. Heureux quand rien ne vient rompre l'uniformité....»

Niklausse regardait son ami. Son ami n'en avait jamais dit si long,—du moins sans prendre des temps et sans espacer ses phrases par de larges pauses. Il lui semblait que van Tricasse s'exprimait avec une certaine volubilité qui ne lui était pas ordinaire. Niklausse lui-même sentait aussi comme une irrésistible démangeaison de parler.

Quant au docteur Ox, il regardait attentivement le bourgmestre de son oeil malin.

Van Tricasse, qui ne discutait jamais qu'après s'être confortablement installé dans un bon fauteuil, s'était levé cette fois. Je ne sais quelle surexcitation nerveuse, tout à fait contraire à son tempérament, l'avait pris alors. Il ne gesticulait pas encore, mais cela ne pouvait tarder. Quant au conseiller, il se frottait les mollets et respirait à lentes et grandes gorgées. Son regard s'animait peu à peu, et il était «décidé» à soutenir quand même, s'il en était besoin, son féal et ami le bourgmestre.

Van Tricasse s'était levé, il avait fait quelques pas, puis il était revenu se placer en face du docteur.

«Et dans combien de mois, demanda-t-il d'un ton légèrement accentué, dans combien de mois dites-vous que vos travaux seront terminés?

—Dans trois ou quatre mois, monsieur le bourgmestre, répondit le docteur Ox.

—Trois ou quatre mois, c'est bien long! dit van Tricasse.

—Beaucoup trop long! ajouta Niklausse, qui, ne pouvant plus tenir en place, s'était levé aussi.

—Il nous faut ce laps de temps pour achever notre opération, répondit le docteur. Les ouvriers, que nous avons dû choisir dans la population de Quiquendone, ne sont pas très-expéditifs.

—Comment, ils ne sont pas expéditifs! s'écria le bourgmestre, qui sembla prendre ce mot comme une offense personnelle.

—Non, monsieur le bourgmestre, répondit le docteur Ox en insistant; un ouvrier français ferait en une journée le travail de dix de vos administrés; vous le savez, ce sont de purs Flamands!...

—Flamands! s'écria le conseiller Niklausse, dont les poings se crispèrent. Quel sens, monsieur, entendez-vous donner à ce mot?

—Mais le sens ... aimable que tout le monde lui donne, répondit en souriant le docteur.

—Ah ça, monsieur! dit le bourgmestre en arpentant le cabinet d'une extrémité à l'autre, je n'aime pas ces insinuations. Les ouvriers de Quiquendone valent les ouvriers de toute autre ville du monde, savez-vous, et ce n'est ni à Paris ni à Londres que nous irons chercher des modèles! Quant aux travaux qui vous concernent, je vous prierai d'en accélérer l'exécution. Nos rues sont dépavées pour la pose de vos tuyaux de conduite, et c'est une entrave à la circulation. Le commerce finira par se plaindre, et moi, administrateur responsable, je n'entends pas encourir des reproches trop légitimes!»

Brave bourgmestre! Il avait parlé de commerce, de circulation, et ces mots, auxquels il n'était pas habitué, ne lui écorchaient pas les lèvres? Mais que se passait-il donc en lui?

«D'ailleurs, ajouta Niklausse, la ville ne peut être plus longtemps privée d'éclairage.

—Cependant, dit le docteur, une ville qui attend depuis huit ou neuf cents ans....

—Raison de plus, monsieur, répondit le bourgmestre en accentuant ses syllabes. Autres temps, autres moeurs! Le progrès marche, et nous ne voulons pas rester en arrière! Avant un mois, nous entendons que nos rues soient éclairées, ou bien vous payerez une indemnité considérable par jour de retard! Et qu'arriverait-il si, dans les ténèbres, quelque rixe se produisait?

—Sans doute, s'écria Niklausse, il ne faut qu'une étincelle pour enflammer un Flamand? Flamand, flamme!

—Et à ce propos, dit le bourgmestre en coupant la parole à son ami, il nous a été rapporté par le chef de la police municipale, le commissaire Passauf, qu'une discussion avait eu lieu hier soir, dans vos salons, monsieur le docteur. S'est-on trompé en affirmant qu'il s'agissait d'une discussion politique?

—En effet, monsieur le bourgmestre, répondit le docteur Ox, qui ne réprimait pas sans peine un soupir de satisfaction.

—Et une altercation n'a-t-elle pas eu lieu entre le médecin Dominique Custos et l'avocat André Schut?

—Oui, monsieur le conseiller, mais les expressions qui ont été échangées n'avaient rien de grave.

—Rien de grave! s'écria le bourgmestre, rien de grave, quand un homme dit à un autre qu'il ne mesure pas la portée de ses paroles! Mais de quel limon êtes-vous donc pétri, monsieur? Ne savez-vous pas que, dans Quiquendone, il n'en faut pas davantage pour amener des conséquences extrêmement regrettables? Mais, monsieur, si vous ou tout autre se permettait de me parler ainsi....

—Et à moi!...» ajouta le conseiller Niklausse.

En prononçant ces paroles d'un ton menaçant, les deux notables, bras croisés, cheveux hérissés, regardaient en face le docteur Ox, prêts à lui faire un mauvais parti, si un geste, moins qu'un geste, un coup d'oeil, eût pu faire supposer en lui une intention contrariante.

Mais le docteur ne sourcilla pas.

«En tout cas, monsieur, reprit le bourgmestre, j'entends vous rendre responsable de ce qui se passe dans votre maison. Je suis garant de la tranquillité de cette ville, et je ne veux pas qu'elle soit troublée. Les événements qui se sont accomplis hier ne se renouvelleront pas, ou je ferai mon devoir, monsieur. Avez-vous entendu? Mais répondez donc, monsieur!»

En parlant ainsi, le bourgmestre, sous l'empire d'une surexcitation extraordinaire, élevait la voix au diapason de la colère. Il était furieux, ce digne van Tricasse, et certainement on dut l'entendre du dehors. Enfin, hors de lui, voyant que le docteur ne répondait pas à ses provocations:

«Venez, Niklausse,» dit-il.

Et, fermant la porte avec une violence qui ébranla la maison, le bourgmestre entraîna le conseiller à sa suite.

Peu à peu, quand ils eurent fait une vingtaine de pas dans la campagne, les dignes notables se calmèrent. Leur marche se ralentit, leur allure se modifia. L'illumination de leur face s'éteignit; de rouges, ils redevinrent roses.

Et un quart d'heure après avoir quitté l'usine, van Tricasse disait doucement au conseiller Niklausse:

«Un aimable homme que ce docteur Ox! Je le verrai toujours avec le plus grand plaisir.»

VI

Où Frantz Niklausse et Suzel van Tricasse forment quelques projets d'avenir.

Nos lecteurs savent que le bourgmestre avait une fille, Mlle Suzel. Mais, si perspicaces qu'ils soient, ils n'ont pu deviner que le conseiller Niklausse avait un fils, M. Frantz. Et, l'eussent-ils deviné, rien ne pouvait leur permettre d'imaginer que Frantz fût le fiancé de Suzel. Nous ajouterons que ces deux jeunes gens étaient faits l'un pour l'autre, et qu'ils s'aimaient comme on s'aime à Quiquendone.

Il ne faut pas croire que les jeunes coeurs ne battaient pas dans cette cité exceptionnelle; seulement ils battaient avec une certaine lenteur. On s'y mariait comme dans toutes les autres villes du monde, mais on y mettait le temps. Les futurs, avant, de s'engager dans ces liens terribles, voulaient s'étudier, et les études duraient au moins dix ans, comme au collège. Il était rare qu'on fût «reçu» avant ce temps.

Oui, dix ans! dix ans on se faisait la cour! Est-ce trop, vraiment, quand il s'agit de se lier pour la vie? On étudie dix ans pour être ingénieur ou médecin, avocat ou conseiller de préfecture, et l'on voudrait en moins de temps acquérir les connaissances nécessaires pour faire un mari? C'est inadmissible, et, affaire de tempérament ou de raison, les Quiquendoniens nous paraissent être dans le vrai en prolongeant ainsi leurs études. Quand on voit, dans les autres villes, libres et ardentes, des mariages s'accomplir en quelques mois, il faut hausser les épaules et se hâter d'envoyer ses garçons au collège et ses filles au pensionnat de Quiquendone.

On ne citait depuis un demi-siècle qu'un seul mariage qui eût été fait en deux ans, et encore il avait failli mal tourner!

Frantz Niklausse aimait donc Suzel van Tricasse, mais paisiblement, comme on aime quand on a dix ans devant soi pour acquérir l'objet aimé. Toutes les semaines, une seule fois et à une heure convenue, Frantz venait chercher Suzel, et il l'emmenait sur les bords du Vaar. Il avait soin d'emporter sa ligne à pêcher, et Suzel n'avait garde d'oublier son canevas à tapisserie, sur lequel ses jolis doigts mariaient les fleurs les plus invraisemblables.

Il convient de dire ici que Frantz était un jeune homme de vingt-deux ans, qu'un léger duvet de pêche apparaissait sur ses joues, et enfin que sa voix venait à peine de descendre d'une octave à une autre.

Quant à Suzel, elle était blonde et rose. Elle avait dix-sept ans et ne détestait point de pêcher à la ligne. Singulière occupation que celle-là, pourtant, et qui vous oblige à lutter d'astuce avec un barbillon. Mais Frantz aimait cela. Ce passe-temps allait à son tempérament. Patient autant qu'on peut l'être, se plaisant à suivre d'un oeil un peu rêveur le bouchon de liège qui tremblait au fil de l'eau, il savait attendre, et quand, après une séance de six heures, un modeste barbillon, ayant pitié de lui, consentait enfin à se laisser prendre, il était heureux, mais il savait contenir son émotion.

Ce jour-là, les deux futurs, on pourrait dire les deux fiancés, étaient assis sur la berge verdoyante. Le limpide Vaar murmurait à quelques pieds au-dessous d'eux. Suzel poussait nonchalamment son aiguille à travers le canevas. Frantz ramenait automatiquement sa ligne de gauche à droite, puis il la laissait redescendre le courant de droite à gauche. Les barbillons faisaient dans l'eau des ronds capricieux qui s'entre-croisaient autour du bouchon, tandis que l'hameçon se promenait à vide dans les couches plus basses.

De temps à autre:

«Je crois que ça mord, Suzel, disait Frantz, sans aucunement lever les yeux sur la jeune fille.

—Le croyez-vous, Frantz? répondait Suzel, qui, abandonnant un instant son ouvrage, suivait d'un oeil ému la ligne de son fiancé.

—Mais non, reprenait Frantz. J'avais cru sentir un petit mouvement. Je me suis trompé.

—Ça mordra, Frantz, répondait Suzel de sa voix pure et douce. Mais n'oubliez pas de «ferrer» à temps. Vous êtes toujours en retard de quelques secondes, et le barbillon en profite pour s'échapper.

—Voulez-vous prendre ma ligne, Suzel?

—Volontiers, Frantz.

—Alors donnez-moi votre canevas, nous verrons si je serai plus adroit à l'aiguille qu'à l'hameçon.»

Et la jeune fille prenait la ligne d'une main tremblante, et le jeune homme faisait courir l'aiguille à travers les mailles de la tapisserie. Et pendant des heures ils échangeaient ainsi de douces paroles, et leurs coeurs palpitaient lorsque le liège frémissait sur l'eau. Ah! puissent-ils ne jamais oublier ces heures charmantes, pendant lesquelles, assis l'un près de l'autre, ils écoutaient le murmure de la rivière.

Ce jour-là, le soleil était déjà très-abaissé sur l'horizon, et, malgré les talents combinés de Suzel et de Frantz, «ça n'avait pas mordu». Les barbillons ne s'étaient point montrés compatissants, et ils riaient des jeunes gens qui étaient trop justes pour leur en vouloir.

«Nous serons plus heureux une autre fois, Frantz, dit Suzel, quand le jeune pêcheur repiqua son hameçon toujours vierge sur sa planchette de sapin.

—Il faut l'espérer, Suzel,» répondit Frantz.

Puis, tous deux, marchant l'un près de l'autre reprirent le chemin de la maison, sans échanger une parole, aussi muets que leurs ombres, qui s'allongeaient devant eux. Suzel se voyait grande, grande, sous les rayons obliques du soleil couchant. Frantz paraissait maigre, maigre, comme la longue ligne qu'il tenait à la main.

On arriva à la maison du bourgmestre. De vertes touffes d'herbe encadraient les pavés luisants, et on se fut bien gardé de les arracher, car elles capitonnaient la rue et assourdissaient le bruit des pas.

Au moment où la porte allait s'ouvrir, Frantz crut devoir dire à sa fiancée:

«Vous savez, Suzel, le grand jour approche.

—Il approche, en effet, Frantz! répondit la jeune fille en abaissant ses longues paupières.

—Oui, dit Frantz, dans cinq ou six ans....

—Au revoir, Frantz, dit Suzel.

—Au revoir, Suzel,» répondit Frantz.

Et, après que la porte se fut refermée, le jeune homme reprit d'un pas égal et tranquille le chemin de la maison du conseiller Niklausse.

VII

Où les *andante* deviennent des *allegro* et les *allegro* des *vivace*.

L'émotion causée par l'incident de l'avocat Schut et du médecin Custos s'était apaisée. L'affaire n'avait pas eu de suite. On pouvait donc espérer que Quiquendone rentrerait dans son apathie habituelle, qu'un événement inexplicable avait momentanément troublée.

Cependant, le tuyautage destiné à conduire le gaz oxy-hydrique dans les principaux édifices de la ville s'opérait rapidement. Les conduites et les branchements se glissaient peu à peu sous le pavé de Quiquendone. Mais les becs manquaient encore, car leur exécution étant très-délicate, il avait fallu les faire fabriquer à l'étranger. Le docteur Ox se multipliait; son préparateur Ygène et lui ne perdaient pas un instant, pressant les ouvriers, parachevant les délicats organes du gazomètre, alimentant jour et nuit les gigantesques piles qui décomposaient l'eau sous l'influence d'un puissant courant électrique. Oui! le docteur fabriquait déjà son gaz, bien que la canalisation ne fût pas encore terminée; ce qui, entre nous, aurait dû paraître assez singulier. Mais avant peu,—du moins on était fondé à l'espérer,—avant peu, au théâtre de la ville, le docteur Ox inaugurerait les splendeurs de son nouvel éclairage.

Car Quiquendone possédait un théâtre, bel édifice, ma foi, dont la disposition intérieure et extérieure rappelait tous les styles. Il était à la fois byzantin, roman, gothique, Renaissance, avec des portes en plein cintre, des fenêtres ogivales, des rosaces flamboyantes, des clochetons fantaisistes, en un mot, un spécimen de tous les genres, moitié Parthénon, moitié Grand Café parisien, ce qui ne saurait étonner, puisque, commencé sous le bourgmestre Ludwig van Tricasse, en 1175, il ne fut achevé qu'en 1837, sous le bourgmestre Natalis van Tricasse. On avait mis sept cents ans à le construire, et il s'était successivement conformé à la mode architecturale de toutes les époques. N'importe! c'était un bel édifice, dont les piliers romans et les voûtes byzantines ne jureraient pas trop avec l'éclairage au gaz oxy-hydrique.

On jouait un peu de tout au théâtre de Quiquendone, et surtout l'opéra et l'opéra-comique. Mais il faut dire que les compositeurs n'eussent jamais pu reconnaître leurs oeuvres, tant les *mouvements* en étaient changés.

En effet, comme rien ne se faisait vite à Quiquendone, les oeuvres dramatiques avaient dû s'approprier au tempérament des Quiquendoniens. Bien que les portes du théâtre s'ouvrissent habituellement à quatre heures et se fermassent à dix, il était sans exemple que, pendant ces six heures, on eût joué plus de deux actes. *Robert le Diable, les Huguenots,* ou *Guillaume Tell,* occupaient ordinairement trois soirées, tant l'exécution de ces chefs-d'oeuvre était lente. Les *vivace,* au théâtre de Quiquendone, flânaient comme de véritables *adagio.* Les *allegro* se traînaient longuement, longuement. Les quadruples croches ne valaient pas des rondes ordinaires en tout autre pays. Les roulades les plus rapides, exécutées au goût des Quiquendoniens, avaient les allures d'un hymne de plain-chant. Les trilles nonchalants s'alanguissaient, se compassaient, afin de ne pas blesser les oreilles des dilettanti. Pour tout dire par un exemple, l'air rapide de Figaro, à son entrée au premier acte du *Barbier de Séville,* se battait au numéro 33 du métronome et durait cinquante-huit minutes,—quand l'acteur était un brûleur de planches.

On le pense bien, les artistes venus du dehors avaient dû se conformer à cette mode; mais, comme on les payait bien, ils ne se plaignaient pas, et ils obéissaient fidèlement à l'archet du chef d'orchestre, qui, dans les *allegro,* ne battait jamais plus de huit mesures à la minute.

Mais aussi quels applaudissements accueillaient ces artistes, qui enchantaient, sans jamais les fatiguer, les spectateurs de Quiquendone! Toutes les mains frappaient l'une dans l'autre à des intervalles assez éloignés, ce que les comptes rendus des journaux traduisaient par *applaudissements frénétiques*; et une ou deux fois même, si la salle étonnée ne croula pas sous les bravos, c'est que, au douzième siècle, on n'épargnait dans les fondations ni le ciment ni la pierre.

D'ailleurs, pour ne point exalter ces enthousiastes natures de Flamands, le théâtre ne jouait qu'une fois par semaine, ce qui permettait aux acteurs de creuser plus profondément leurs rôles et aux spectateurs de digérer plus longuement les beautés des chefs-d'oeuvre de l'art dramatique.

Or, depuis longtemps les choses marchaient ainsi. Les artistes étrangers avaient l'habitude de contracter un engagement avec le directeur de Quiquendone, lorsqu'ils voulaient se reposer de leurs fatigues sur d'autres scènes, et il ne semblait pas que rien dût modifier ces coutumes invétérées, quand, quinze jours après l'affaire Schut-Custos, un incident inattendu vint jeter à nouveau le trouble dans les populations.

C'était un samedi, jour d'opéra. Il ne s'agissait pas encore, comme on pourrait le croire, d'inaugurer le nouvel éclairage. Non; les tuyaux aboutissaient bien dans la salle, mais, pour le motif indiqué plus haut, les becs n'avaient pas encore été posés, et les bougies du lustre projetaient toujours leur douce clarté sur les nombreux spectateurs qui encombraient le théâtre. On avait ouvert les portes au public à une heure après midi, et à trois heures la salle était à moitié pleine. Il y avait eu un moment une queue qui se développait jusqu'à l'extrémité de la place Saint-Ernuph, devant la boutique du pharmacien Josse Liefrinck. Cet empressement faisait pressentir une belle représentation.

«Vous irez ce soir au théâtre? avait dit le matin même le conseiller au bourgmestre.

—Je n'y manquerai pas, avait répondu van Tricasse, et j'y conduirai Mme Van Tricasse, ainsi que notre fille Suzel et notre chère Tatanémance, qui raffolent de la belle musique.

—Mlle Suzel viendra? demanda le conseiller.

—Sans doute, Niklausse.

—Alors mon fils Frantz sera un des premiers à faire queue, répondit Niklausse.

—Un garçon ardent, Niklausse, répondit doctoralement le bourgmestre, une tête chaude! Il faut surveiller ce jeune homme.

—Il aime, van Tricasse, il aime votre charmante Suzel.

—Eh bien! Niklausse, il l'épousera. Du moment que nous sommes convenus de faire ce mariage, que peut-il demander de plus?

—Il ne demande rien, van Tricasse, il ne demande rien, ce cher enfant! Mais enfin—et je ne veux pas en dire davantage—il ne sera pas le dernier à prendre son billet au bureau!

—Ah! vive et ardente jeunesse! répliqua le bourgmestre, souriant à son passé. Nous avons été ainsi, mon digne conseiller! Nous avons aimé, nous aussi! Nous avons fait queue en notre temps! À ce soir donc, à ce soir! À propos, savez-vous que c'est un grand artiste, ce Fioravanti! Aussi, quel accueil on lui a fait dans nos murs! Il n'oubliera pas de longtemps les applaudissements de Quiquendone.»

Il s'agissait, en effet, du célèbre ténor Fioravanti, qui, par son talent de virtuose, sa méthode parfaite, sa voix sympathique, provoquait chez les amateurs de la ville un véritable enthousiasme.

Depuis trois semaines, Fioravanti avait obtenu des succès immenses dans *les Huguenots*. Le premier acte, interprété au goût des Quiquendoniens, avait rempli une soirée tout entière de la première semaine du mois. Une autre soirée de la seconde semaine, allongée par des *andante* infinis, avait valu au célèbre chanteur une véritable ovation. Le succès s'était encore accru avec le troisième acte du chef-d'oeuvre de Meyerbeer. Mais c'est au quatrième acte qu'on attendait Fioravanti, et ce quatrième acte, c'est ce soir-là même qu'il allait être joué devant un public impatient. Ah! ce duo de Raoul et de Valentine, cet hymne d'amour à deux voix, largement soupiré, cette strette où se multiplient les *crescendo*, les *stringendo*, les *pressez un peu*, les *più crescendo*, tout cela chanté lentement, compendieusement, interminablement! Ah! quel charme!

Aussi, à quatre heures, la salle était pleine. Les loges, l'orchestre, le parterre regorgeaient. Aux avant-scènes s'étalaient le bourgmestre van Tricasse, Mlle van Tricasse, Mme van Tricasse et l'aimable Tatanémance en bonnet vert-pomme; puis, non loin, le conseiller Niklausse et sa famille, sans oublier l'amoureux Frantz. On voyait aussi les familles du médecin Custos, de l'avocat Schut, d'Honoré Syntax, le grand juge, et Soutman (Norbert), le directeur de la compagnie d'assurances, et le gros banquier Collaert, fou de musique allemande, un peu virtuose lui-même, et le percepteur Rupp, et le directeur de l'Académie, Jérôme Resh, et le commissaire civil, et tant d'autres notabilités de la ville qu'on ne saurait les énumérer ici sans abuser de la patience du lecteur.

Ordinairement, en attendant le lever du rideau, les Quiquendoniens avaient l'habitude de se tenir silencieux, les uns lisant leur journal, les autres échangeant quelques mots à voix basse, ceux-ci gagnant leur place sans bruit et sans hâte, ceux-là jetant un regard à demi éteint vers les beautés aimables qui garnissaient les galeries.

Mais, ce soir-là, un observateur eût constaté que, même avant le lever du rideau, une animation inaccoutumée régnait dans la salle. On voyait remuer des gens qui ne remuaient jamais. Les éventails des dames s'agitaient avec une rapidité anormale. Un air plus vivace semblait avoir envahi toutes ces poitrines. On respirait plus largement. Quelques regards brillaient, et, s'il faut le dire, presque à l'égal des flammes du lustre, qui semblaient jeter sur la salle un éclat inaccoutumé. Vraiment, on y voyait plus clair que d'habitude, bien que l'éclairage n'eût point été augmenté. Ah! si les appareils nouveaux du docteur Ox eussent fonctionné! mais ils ne fonctionnaient pas encore.

Enfin, l'orchestre est à son poste, au grand complet. Le premier violon a passé entre les pupitres pour donner un *la* modeste à ses collègues. Les instruments à corde, les instruments à vent, les instruments à percussion sont d'accord. Le chef d'orchestre n'attend plus que le coup de sonnette pour battre la première mesure.

La sonnette retentit. Le quatrième acte commence. L'*allegro appassionato* de l'entracte est joué suivant l'habitude, avec une lenteur majestueuse, qui eût fait bondir l'illustre Meyerbeer, et dont les dilettanti Quiquendoniens apprécient toute la majesté.

Mais bientôt le chef d'orchestre ne se sent plus maître de ses exécutants. Il a quelque peine à les retenir, eux si obéissants, si calmes d'ordinaire. Les instruments à vent ont une tendance à presser les mouvements, et il faut les refréner d'une main ferme, car ils prendraient l'avance sur les instruments à cordes, ce qui, au point de vue harmonique, produirait un effet regrettable. Le basson lui-même, le fils du pharmacien Josse Liefrinck, un jeune homme si bien élevé, tend à s'emporter.

Cependant Valentine a commencé son récitatif:

Je suis seule chez moi....
mais elle presse. Le chef d'orchestre et tous ses musiciens la suivent—peut-être à leur insu—dans son *cantabile*, qui devrait être battu largement, comme un *douze-huit* qu'il est. Lorsque Raoul paraît à la porte du fond, entre le moment où Valentine va à lui et le moment où elle le cache dans la chambre *à côté*, il ne se passe pas un quart d'heure, tandis qu'autrefois, selon la tradition du théâtre de Quiquendone, ce récitatif de trente-sept mesures durait juste trente-sept minutes.

Saint-Bris, Nevers, Cavannes et les seigneurs catholiques sont entrés en scène, un peu précipitamment peut être. *Allegro pomposo* a marqué le compositeur sur la partition. L'orchestre et les seigneurs vont bien *allegro*, mais pas *pomposo* du tout, et au morceau d'ensemble, dans cette page magistrale de la conjuration et de la bénédiction des poignards, on ne modère plus l'*allegro* réglementaire. Chanteurs et musiciens s'échappent fougueusement. Le chef d'orchestre ne songe plus à les retenir. D'ailleurs le public ne réclame pas, au contraire; on sent qu'il est entraîné lui-même, qu'il est dans le mouvement, et que ce mouvement répond aux aspirations de son âme:

des troubles renaissants et d'une guerre impie
Voulez-vous, comme moi, délivrer le pays?
On promet, on jure. C'est à peine si Nevers a le temps de protester et de chanter que, «parmi ses aïeux, il compte des soldats et pas un assassin.» On l'arrête. Les quarteniers et les échevins accourent et jurent rapidement «de frapper tous à la fois». Saint-Bris enlève comme un véritable *deux-quatre* de barrière le récitatif qui appelle les catholiques à la vengeance. Les trois moines, portant des corbeilles avec des écharpes blanches, se précipitent par la porte

du fond de l'appartement de Nevers, sans tenir compte de la mise en scène, qui leur recommande de s'avancer lentement. Déjà tous les assistants ont tiré leur épée et leur poignard, que les trois moines bénissent en un tour de main. Les soprani, les ténors, les basses, attaquent avec des cris de rage l'*allegro furioso*, et, d'un *six-huit* dramatique, ils font un *six-huit* de quadrille. Puis, ils sortent en hurlant:

À   minuit,
Point   de   bruit!
Dieu   le   veut!
Oui,
À minuit.

En ce moment, le public est debout. On s'agite dans les loges, au parterre, aux galeries. Il semble que tous les spectateurs vont s'élancer sur la scène, le bourgmestre van Tricasse en tête, afin de s'unir aux conjurés et d'anéantir les huguenots, dont, d'ailleurs, ils partagent les opinions religieuses. On applaudit, on rappelle, on acclame! Tatanémance agite d'une main fébrile son bonnet vert-pomme. Les lampes de la salle jettent un éclat ardent.

Raoul, au lieu de soulever lentement la draperie, la déchire par un geste superbe et se trouve face à face avec Valentine.

Enfin! c'est le grand duo, et il est mené *allegro vivace*. Raoul n'attend pas les demandes de Valentine et Valentine n'attend pas les réponses de Raoul. Le passage adorable:

Le   danger   presse
Et le temps vole....

devient un de ces rapides *deux-quatre* qui ont fait la renommée d'Offenbach, lorsqu'il fait danser des conjurés quelconques. L'*andante amoroso*:

Tu   l'as   dit!
Oui, tu m'aimes!

n'est plus qu'un *vivace furioso*, et le violoncelle de l'orchestre ne se préoccupe plus d'imiter les inflexions de la voix du chanteur, comme il est indiqué dans la partition du maître. En vain Raoul s'écrie:

Parle   encore   et   prolonge
De mon coeur l'ineffable sommeil!

Valentine ne peut pas prolonger! On sent qu'un feu inaccoutumé le dévore. Ses *si* et ses *ut*, au-dessus de la portée, ont un éclat effrayant. Il se démène, il gesticule, il est embrasé.

On entend le beffroi; la cloche résonne; mais quelle cloche haletante! Le sonneur qui la sonne ne se possède évidemment plus. C'est un tocsin épouvantable, qui lutte de violence avec les fureurs de l'orchestre.

Enfin la strette qui va terminer cet acte magnifique:

Plus d'amour, plus d'ivresse,
O remords qui m'oppresse!

que le compositeur indique *allegro con moto*, s'emporte dans un *prestissimo* déchaîné. On dirait un train express qui passe. Le beffroi reprend. Valentine tombe évanouie. Raoul se précipite par la fenêtre!

Il était temps. L'orchestre, véritablement ivre, n'aurait pu continuer. Le bâton du chef n'est plus qu'un morceau brisé sur le pupitre du souffleur! Les cordes des violons sont rompues et les manches tordus! Dans sa fureur, le timbalier a crevé ses timbales! le contrebassiste est juché sur le haut de son édifice sonore! La première clarinette a avalé l'anche de son instrument, et le second hautbois mâche entre ses dents ses languettes de roseau! La coulisse du trombone est faussée, et enfin le malheureux corniste ne peut plus retirer sa main, qu'il a trop profondément enfoncée dans le pavillon de son cor!

Et le public! le public, haletant, enflammé, gesticule, hurle! Toutes les figures sont rouges comme si un incendie eût embrasé ces corps à l'intérieur! On se bourre, on se presse pour sortir, les hommes sans chapeau, les femmes sans manteau! On se bouscule dans les couloirs, on s'écrase aux portes, on se dispute, on se bat! Plus d'autorités! plus de bourgmestre! Tous égaux devant une surexcitation infernale ...

Et, quelques instants après, lorsque chacun est dans la rue, chacun reprend son calme habituel et rentre paisiblement dans sa maison, avec le souvenir confus de ce qu'il a ressenti.

Le quatrième acte des *Huguenots*, qui durait autrefois six heures d'horloge, commencé, ce soir-là, à quatre heures et demie, était terminé à cinq heures moins douze.

Il avait duré dix-huit minutes!

VIII

Où l'antique et solennelle valse allemande se change en tourbillon.

Mais si les spectateurs, après avoir quitté le théâtre, reprirent leur calme habituel, s'ils regagnèrent paisiblement leur logis en ne conservant qu'une sorte d'hébêtement passager, ils n'en avaient pas moins subi une extraordinaire exaltation, et, anéantis, brisés, comme s'ils eussent commis quelque excès de table, ils tombèrent lourdement dans leurs lits.

Or, le lendemain, chacun eut comme un ressouvenir de ce qui s'était passé la veille. En effet, à l'un manquait son chapeau, perdu dans la bagarre, à l'autre un pan de son habit, déchiré dans la mêlée; à celle-ci, son fin soulier de prunelle, à celle-là sa mante des grands jours. La mémoire revint à ces honnêtes bourgeois, et, avec la mémoire, une certaine honte de leur inqualifiable effervescence. Cela leur apparaissait comme une orgie dont ils auraient été les héros inconscients! Ils n'en parlaient pas; ils ne voulaient plus y penser.

Mais le personnage le plus abasourdi de la ville, ce fut encore le bourgmestre van Tricasse. Le lendemain matin, en se réveillant, il ne put retrouver sa perruque. Lotchè avait cherché partout. Rien. La perruque était restée sur le champ de bataille. Quant à la faire réclamer par Jean Mistrol, le trompette assermenté de la ville, non. Mieux valait faire le sacrifice de ce postiche que de s'afficher ainsi, quand on avait l'honneur d'être le premier magistrat de la cité.

Le digne van Tricasse songeait ainsi, étendu sous ses couvertures, le corps brisé, la tête lourde, la langue épaisse, la poitrine brûlante. Il n'éprouvait aucune envie de se lever, au contraire, et son cerveau travailla plus dans cette matinée qu'il n'avait travaillé depuis quarante ans peut-être. L'honorable magistrat refaisait dans son esprit tous les incidents de cette inexplicable représentation. Il les rapprochait des faits qui s'étaient dernièrement accomplis à la soirée du docteur Ox. Il cherchait les raisons de cette singulière excitabilité qui, à deux reprises, venait de se déclarer chez ses administrés les plus recommandables.

«Mais que se passe-t-il donc? se demandait-il. Quel esprit de vertige s'est emparé de ma paisible ville de Quiquendone? Est-ce que nous allons devenir fous et faudra-t-il faire de la cité un vaste hôpital? Car enfin, hier, nous étions tous là, notables, conseillers, juges, avocats, médecins, académiciens, et tous, si mes souvenirs sont fidèles, tous nous avons subi cet accès de folie furieuse! Mais qu'y avait-il donc dans cette musique infernale? C'est inexplicable!

Cependant, je n'avais rien mangé, rien bu qui pût produire en moi une telle exaltation! Non! hier, à dîner, une tranche de veau trop cuit, quelques cuillerées d'épinards au sucre, des oeufs à la neige et deux verres de petite bière coupée d'eau pure, cela ne peut pas monter à la tête! Non. Il y a quelque chose que je ne puis expliquer, et comme, après tout, je suis responsable des actes de mes administrés, je ferai faire une enquête.»

Mais l'enquête, qui fut décidée par le conseil municipal, ne produisit aucun résultat. Si les faits étaient patents, les causes échappèrent à la sagacité des magistrats. D'ailleurs, le calme s'était refait dans les esprits, et, avec le calme, l'oubli des excès. Les journaux de la localité évitèrent même d'en parler, et le compte rendu de la représentation, qui parut dans le *Mémorial de Quiquendone*, ne fit aucune allusion à cet enfièvrement d'une salle tout entière.

Et cependant, si la ville reprit son flegme habituel, si elle redevint, en apparence, flamande comme devant, au fond, on sentait que le caractère et le tempérament de ses habitants se modifiaient peu à peu. On eût vraiment dit, avec le médecin Dominique Custos, «qu'il leur poussait des nerfs.»

Expliquons-nous cependant. Ce changement incontestable et incontesté ne se produisait que dans certaines conditions. Lorsque les Quiquendoniens allaient par les rues de la ville, au grand air, sur les places, le long du Vaar, ils étaient toujours ces bonnes gens froids et méthodiques que l'on connaissait autrefois. De même, quand ils se confinaient dans leurs logis, les uns travaillant de la main, les autres travaillant de la tête, ceux-ci ne faisant rien, ceux-là ne pensant pas davantage. Leur vie privée était silencieuse, inerte, végétative comme jadis. Nulle querelle, nul reproche dans les ménages, nulle accélération des mouvements du coeur, nulle surexcitation de la moelle encéphalique. La moyenne des pulsations restait ce qu'elle était au bon temps, de cinquante à cinquante-deux par minute.

Mais, phénomène absolument inexplicable, qui eût mis en défaut la sagacité des plus ingénieux physiologistes de l'époque, si les habitants de Quiquendone ne se modifiaient point dans la vie privée, ils se métamorphosaient visiblement, au contraire, dans la vie commune, à propos de ces relations d'individu à individu qu'elle provoque.

Ainsi, se réunissaient-ils dans un édifice public? Cela «n'allait plus», pour employer l'expression du commissaire Passauf. À la bourse, à l'hôtel de ville, à l'amphithéâtre de l'Académie, aux séances du conseil comme aux réunions des savants, une sorte de revivification se produisait, une surexcitation singulière s'emparait bientôt des assistants. Au bout d'une heure, les rapports étaient déjà aigres. Après deux heures, la discussion dégénérait en dispute. Les têtes s'échauffaient, et l'on en venait aux personnalités. Au temple même, pendant le prêche, les fidèles ne pouvaient entendre de sang-froid le ministre van Stabel, qui, d'ailleurs, se démenait dans sa chaire et les admonestait plus sévèrement que d'habitude. Enfin cet état de choses amena de nouvelles altercations plus graves, hélas! que celle du médecin Custos et de l'avocat Schut, et si elles ne nécessitèrent jamais l'intervention de l'autorité, c'est que les querelleurs, rentrés chez eux, y retrouvaient, avec le calme, l'oubli des offenses faites et reçues.

Toutefois, cette particularité n'avait pu frapper des esprits absolument inhabiles à reconnaître ce qui se passait en eux. Un seul personnage de la ville, celui-là même dont le conseil songeait depuis trente ans à supprimer la charge, le commissaire civil, Michel Passauf, avait fait cette remarque, que la surexcitation, nulle dans les maisons particulières, se révélait promptement dans les édifices publics, et il se demandait, non sans une certaine anxiété, ce qu'il adviendrait si jamais cet éréthisme venait à se propager jusque dans les maisons bourgeoises, et si l'épidémie—c'était le mot qu'il employait—se répandait dans les rues de la ville. Alors, plus d'oubli des injures, plus de calme, plus d'intermittence dans le délire, mais une inflammation permanente qui précipiterait inévitablement les Quiquendoniens les uns contre les autres.

«Alors qu'arriverait-il? se demandait avec effroi le commissaire Passauf. Comment arrêter ces sauvages fureurs? Comment enrayer ces tempéraments aiguillonnés? C'est alors que ma charge ne sera plus une sinécure, et qu'il faudra bien que le conseil en arrive à doubler mes appointements ... à moins qu'il ne faille m'arrêter moi-même ... pour infraction et manquement à l'ordre public!»

Or, ces très-justes craintes commencèrent à se réaliser. De la bourse, du temple, du théâtre, de la maison commune, de l'Académie, de la halle, le mal fit invasion dans la maison des particuliers, et cela moins de quinze jours après cette terrible représentation des *Huguenots*.

Ce fut dans la maison du banquier Collaert que se déclarèrent les premiers symptômes de l'épidémie.

Ce riche personnage donnait un bal, ou tout au moins une soirée dansante, aux notabilités de la ville. Il avait émis, quelques mois auparavant, un emprunt de trente mille francs qui avait été aux trois quarts souscrit, et, pour reconnaître ce succès financier, il avait ouvert ses salons et donné une fête à ses compatriotes.

On sait ce que sont ces réceptions flamandes, pures et tranquilles, dont la bière et les sirops font, en général, tous les frais. Quelques conversations sur le temps qu'il fait, l'apparence des récoltes, le bon état des jardins, l'entretien des fleurs et plus particulièrement des tulipes; de temps en temps, une danse lente et compassée, comme un menuet; parfois une valse, mais une de ces valses allemandes qui ne donnent pas plus d'un tour et demi à la minute, et pendant lesquelles les valseurs se tiennent embrassés aussi loin l'un de l'autre que leurs bras le peuvent permettre, tel est l'ordinaire de ces bals que fréquentait la haute société de Quiquendone. La polka, après avoir été mise à quatre temps, avait bien essayé de s'y acclimater; mais les danseurs restaient toujours en arrière de l'orchestre, si lentement que fût battue la mesure, et l'on avait dû y renoncer.

Ces réunions paisibles, dans lesquelles les jeunes gens et les jeunes filles trouvaient un plaisir honnête et modéré, n'avaient jamais amené d'éclat fâcheux. Pourquoi donc, ce soir-là, chez le banquier Collaert, les sirops semblèrent-ils se transformer en vins capiteux, en Champagne pétillant, en punchs incendiaires? Pourquoi, vers le milieu de la fête, une sorte d'ivresse inexplicable gagna-t-elle tous les invités? Pourquoi le menuet dériva-t-il en saltarelle? Pourquoi les musiciens de l'orchestre pressèrent-ils la mesure? Pourquoi, ainsi qu'au théâtre, les bougies brillèrent-elles d'un éclat inaccoutumé? Quel courant électrique envahit les salons du banquier? D'où vint que les couples se rapprochèrent, que les mains se pressèrent dans une étreinte plus convulsive, que des «cavaliers seuls» se signalèrent par quelques pas hasardés, pendant cette pastourelle autrefois si grave, si solennelle, si majestueuse, si comme il faut!

Hélas! quel Oedipe aurait pu répondre à toutes ces insolubles questions? Le commissaire Passauf, présent à la soirée, voyait bien l'orage venir, mais il ne pouvait le dominer, il ne pouvait le fuir, et il sentait comme une ivresse lui monter au cerveau. Toutes ses facultés physiologiques et passionnelles s'accroissaient. On le vit, à plusieurs reprises, se jeter sur les sucreries et dévaliser les plateaux, comme s'il fût sorti d'une longue diète.

Pendant ce temps, l'animation du bal s'augmentait. Un long murmure, comme un bourdonnement sourd, s'échappait de toutes les poitrines. On dansait, on dansait véritablement. Les pieds s'agitaient avec une frénésie croissante. Les figures s'empourpraient comme des faces de Silène. Les yeux brillaient comme des escarboucles. La fermentation générale était portée au plus haut degré.

Et quand l'orchestre entonna la valse du *Freyschütz*, lorsque cette valse, si allemande et d'un mouvement si lent, fut attaquée à bras déchaînés par les gagistes, ah! ce ne fut plus une valse, ce fut un tourbillon insensé, une rotation vertigineuse, une giration digne d'être conduite par quelque Méphistophélès, battant la mesure avec un tison ardent! Puis un galop, un galop infernal, pendant une heure, sans qu'on pût le détourner, sans qu'on pût le suspendre, entraîna dans ses replis à travers les salles, les salons, les antichambres, par les escaliers, de la cave au grenier de l'opulente demeure, les jeunes gens, les jeunes filles, les pères, les mères, les individus de tout âge, de tout poids, de tout sexe, et le gros banquier Collaert, et Mme Collaert, et les conseillers, et les magistrats, et le grand juge, et Niklausse, et Mme van Tricasse, et le bourgmestre van Tricasse, et le commissaire Passauf lui-même, qui ne put jamais se rappeler celle qui fut sa valseuse pendant cette nuit-là.

Mais «elle» ne l'oublia plus. Et depuis ce jour, «elle» revit dans ses rêves le brûlant commissaire, l'enlaçant dans une étreinte passionnée! Et «elle», c'était l'aimable Tatanémance!

IX

Où le docteur Ox et son préparateur Ygène ne se disent que quelques mots.

«Eh bien, Ygène?

—Eh bien, maître, tout est prêt! La pose des tuyaux est achevée.

—Enfin! Nous allons maintenant opérer en grand, et sur les masses!»

X

Dans lequel on verra que l'épidémie envahit la ville entière et quel effet elle produisit.

Pendant les mois qui suivirent, le mal, au lieu de se dissiper, ne fit que s'étendre. Des maisons particulières l'épidémie se répandit dans les rues. La ville de Quiquendone n'était plus reconnaissable.

Phénomène plus extraordinaire encore que ceux qui avaient été remarqués jusqu'alors, non-seulement le règne animal, mais le règne végétal lui-même n'échappait point à cette influence.

Suivant le cours ordinaire des choses, les épidémies sont spéciales. Celles qui frappent l'homme épargnent les animaux, celles qui frappent les animaux épargnent les végétaux. On n'a jamais vu un cheval attaqué de la variole ni un homme de la peste bovine, et les moutons n'attrapent pas la maladie des pommes de terre. Mais ici, toutes les lois de la nature semblaient bouleversées. Non-seulement le caractère, le tempérament, les idées des habitants et habitantes de Quiquendone s'étaient modifiés, mais les animaux domestiques, chiens ou chats, boeufs ou chevaux, ânes ou chèvres, subissaient cette influence épidémique, comme si leur milieu habituel eût été changé. Les plantes elles-mêmes «s'émancipaient», si l'on veut bien nous pardonner cette expression.

En effet, dans les jardins, dans les potagers, dans les vergers, se manifestaient des symptômes extrêmement curieux. Les plantes grimpantes grimpaient avec plus d'audace. Les plantes touffantes «touffaient» avec plus de vigueur. Les arbustes devenaient des arbres. Les graines, à peine semées, montraient leur petite tête verte, et, dans le même laps de temps, elles gagnaient en pouces ce que jadis, et dans les circonstances les plus favorables, elles gagnaient en lignes. Les asperges atteignaient deux pieds de hauteur; les artichauts devenaient gros comme des melons, les melons gros comme des citrouilles, les citrouilles grosses comme des potirons, les potirons gros comme la cloche du beffroi, qui mesurait, ma foi, neuf pieds de diamètre. Les choux étaient des buissons et les champignons des parapluies.

Les fruits ne tardèrent pas à suivre l'exemple des légumes. Il fallut se mettre à deux pour manger une fraise et à quatre pour manger une poire. Les grappes de raisin égalaient cette grappe phénoménale, si admirablement peinte par le Poussin dans son *Retour des envoyés à la Terre promise!*

De même pour les fleurs: les larges violettes répandaient dans l'air des parfums plus pénétrants; les roses exagérées resplendissaient de couleurs plus vives; les lilas formaient en quelques jours d'impénétrables taillis; géraniums, marguerites, dahlias, camélias, rhododendrons, envahissant les allées, s'étouffaient les uns les autres! La serpe n'y pouvait suffire. Et les tulipes, ces chères liliacées qui font la joie des Flamands, quelles émotions elles causèrent aux amateurs! Le digne van Bistrom faillit un jour tomber à la renverse en voyant dans son jardin une simple *Tulipa gesneriana*énorme, monstrueuse, géante, dont le calice servait de nid à toute une famille de rouges-gorges!

La ville entière accourut pour voir cette fleur phénoménale et lui décerna le nom de *Tulipa quiquendonia.*

Mais, hélas! si ces plantes, si ces fruits, si ces fleurs poussaient à vue d'oeil, si tous les végétaux affectaient de prendre des proportions colossales, si la vivacité de leurs couleurs et de leur parfum enivrait l'odorat et le regard, en revanche, ils se flétrissaient vite. Cet air qu'ils absorbaient les brûlait rapidement, et ils mouraient bientôt, épuisés, flétris, dévorés.

Tel fut le sort de la fameuse tulipe, qui s'étiola après quelques jours de splendeur!

Il en fut bientôt de même des animaux domestiques, depuis le chien de la maison jusqu'au porc de l'étable, depuis le serin de la cage jusqu'au dindon de la basse-cour.

Il convient de dire que ces animaux, en temps ordinaire, étaient non moins flegmatiques que leurs maîtres. Chiens ou chats végétaient plutôt qu'ils ne vivaient. Jamais un frémissement de plaisir, jamais un mouvement de colère. Les queues ne remuaient pas plus que si elles eussent été de bronze. On ne citait, depuis un temps immémorial, ni un coup de dent ni un coup de griffe. Quant aux chiens enragés, on les regardait comme des bêtes imaginaires, à ranger avec les griffons et autres dans la ménagerie de l'Apocalypse.

Mais, pendant ces quelques mois, dont nous cherchons à reproduire les moindres accidents, quel changement! Chiens et chats commencèrent à montrer les dents et les griffes. Il y eut quelques exécutions à la suite d'attaques réitérées. On vit pour la première fois un cheval prendre le mors aux dents et s'emporter dans les rues de Quiquendone, un boeuf se précipiter, cornes baissées, sur un de ses congénères, un âne se renverser, les jambes en l'air, sur la place Saint-Ernuph, et pousser des braîments qui n'avaient plus rien «d'animal», un mouton, un mouton lui-même, défendre vaillamment contre le couteau du boucher les côtelettes qu'il portait en lui!

Le bourgmestre van Tricasse fut contraint de rendre des arrêtés de police concernant les animaux domestiques qui, pris de folie, rendaient peu sûres les rues de Quiquendone.

Mais, hélas! si les animaux étaient fous, les hommes n'étaient plus sages. Aucun âge ne fut épargné par le fléau.

Les bébés devinrent très-promptement insupportables, eux jusque là si faciles à élever, et, pour la première fois, le grand-juge Honoré Syntax dut appliquer le fouet à sa jeune progéniture.

Au collège, il y eut comme une émeute, et les dictionnaires tracèrent de déplorables trajectoires dans les classes. On ne pouvait plus tenir les élèves renfermés, et, d'ailleurs, la surexcitation gagnait jusqu'aux professeurs eux-mêmes, qui les accablaient de pensums extravagants.

Autre phénomène! Tous ces Quiquendoniens, si sobres jusqu'alors, et qui faisaient des crèmes fouettées leur alimentation principale, commettaient de véritables excès de nourriture et de boisson. Leur régime ordinaire ne suffisait plus. Chaque estomac se transformait en gouffre, et ce gouffre, il fallait bien le combler par les moyens les plus énergiques. La consommation de la ville fut triplée. Au lieu de deux repas, on en faisait six. On signala de nombreuses indigestions. Le conseiller Niklausse ne pouvait assouvir sa faim. Le bourgmestre van Tricasse ne pouvait combler sa soif, et il ne sortait plus d'une sorte de demi-ébriété rageuse.

Enfin les symptômes les plus alarmants se manifestèrent et se multiplièrent de jour en jour.

On rencontra des gens ivres, et, parmi ces gens ivres, souvent des notables.

Les gastralgies donnèrent une occupation énorme au médecin Dominique Custos, ainsi que les névrites et les névrophlogoses, ce qui prouvait bien à quel degré d'irritabilité étaient étrangement montés les nerfs de la population.

Il y eut des querelles, des altercations quotidiennes dans les rues autrefois si désertes de Quiquendone, aujourd'hui si fréquentées, car personne ne pouvait plus rester chez soi.

Il fallut créer une police nouvelle pour contenir les perturbateurs de l'ordre public.

Un violon fut installé dans la maison commune, et il se peupla jour et nuit de récalcitrants. Le commissaire Passauf était sur les dents.

Un mariage fut conclu en moins de deux mois,—ce qui ne s'était jamais vu. Oui! le fils du percepteur Rupp épousa la fille de la belle Augustine de Rovere, et cela cinquante-sept jours seulement après avoir fait la demande de sa main!

D'autres mariages furent décidés qui, en d'autres temps, fussent restés à l'état de projet pendant des années entières. Le bourgmestre n'en revenait pas, et il sentait sa fille, la charmante Suzel, lui échapper des mains.

Quant à la chère Tatanémance, elle avait osé pressentir le commissaire Passauf, au sujet d'une union qui lui semblait réunir tous les éléments de bonheur, fortune, honorabilité, jeunesse!...

Enfin—pour comble d'abomination—un duel eut lieu! Oui, un duel au pistolet, aux pistolets d'arçons, à soixante-quinze pas, à balles libres! Et entre qui? Nos lecteurs ne voudront pas le croire.

Entre M. Frantz Niklausse, le doux pêcheur à la ligne, et le fils de l'opulent banquier, le jeune Simon Collaert.

Et la cause de ce duel, c'était la propre fille du bourgmestre, pour laquelle Simon se sentait féru d'amour, et qu'il ne voulait pas céder aux prétentions d'un audacieux rival!

XI

Où les Quiquendoniens prennent une résolution héroïque.

On voit dans quel état déplorable se trouvait la population de Quiquendone. Les têtes fermentaient. On ne se connaissait et on ne se reconnaissait plus. Les gens les plus pacifiques étaient devenus querelleurs. Il ne fallait pas les regarder de travers, ils eussent vite fait de vous envoyer des témoins. Quelques-uns laissèrent pousser leurs moustaches, et certains—des plus batailleurs—les relevèrent en croc.

Dans ces conditions, l'administration de la cité, le maintien de l'ordre dans les rues et dans les édifices publics devenaient fort difficiles, car les services n'avaient point été organisés pour un tel état de choses. Le bourgmestre,—ce digne van Tricasse que nous avons connu si doux, si éteint, si incapable de prendre une décision quelconque,—le bourgmestre ne décolérait plus. Sa maison retentissait des éclats de sa voix. Il rendait vingt arrêtés par jour, gourmandant ses agents, et prêt à faire exécuter lui-même les actes de son administration.

Ah! quel changement! Aimable et tranquille maison du bourgmestre, bonne habitation flamande, où était son calme d'autrefois? Quelles scènes de ménage s'y succédaient maintenant! Mme van Tricasse était devenue acariâtre, quinteuse, gourmandeuse. Son mari parvenait peut-être à couvrir sa voix en criant plus haut qu'elle, mais non à la faire taire. L'humeur irascible de cette brave dame s'en prenait à tout. Rien n'allait! Le service ne se faisait pas. Des retards pour toutes choses! Elle accusait Lotchè, et même Tatanémance, sa belle-soeur, qui, de non moins mauvaise humeur, lui répondait aigrement. Naturellement. M. van Tricasse soutenait sa domestique Lotchè, ainsi que cela se voit dans les meilleurs ménages. De là, exaspération permanente de Mme la bourgmestre, objurgations, discussions, disputes, scènes qui n'en finissaient plus!

«Mais qu'est-ce que nous avons? s'écriait le malheureux bourgmestre. Mais quel est ce feu qui nous dévore? Mais nous sommes donc possédés du diable? Ah! madame van Tricasse, madame van Tricasse! Vous finirez par me faire mourir avant vous et manquer ainsi à toutes les traditions de la famille!»

Car le lecteur ne peut avoir oublié cette particularité assez bizarre, que M. van Tricasse devait devenir veuf et se remarier, pour ne point rompre la chaîne des convenances.

Cependant cette disposition des esprits produisit encore d'autres effets assez curieux et qu'il importe de signaler. Cette surexcitation, dont la cause nous échappe jusqu'ici, amena des régénérescences physiologiques, auxquelles on ne se serait pas attendu. Des talents, qui seraient restés ignorés, sortirent de la foule. Des aptitudes se révélèrent. Des artistes, jusque-là médiocres, se montrèrent sous un jour nouveau. Des hommes apparurent dans la politique aussi bien que dans les lettres. Des orateurs se formèrent aux discussions les plus ardues, et sur toutes les questions ils enflammèrent un auditoire parfaitement disposé d'ailleurs à l'inflammation. Des séances du conseil, le mouvement passa dans les réunions publiques, et un club se fonda à Quiquendone, pendant que vingt journaux, le *Guetteur de Quiquendone*, l'*Impartial de Quiquendone*, le *Radical de Quiquendone*, l'*Outrancier de Quiquendone*, écrits avec rage, soulevaient les questions sociales les plus graves.

Mais à quel propos? se demandera-t-on. À propos de tout et de rien; à propos de la tour d'Audenarde qui penchait, que les uns voulaient abattre et que les autres voulaient redresser; à propos des arrêtés de police que rendait le conseil, auxquels de mauvaises têtes tentaient de résister; à propos du balayage des ruisseaux et du curage des égouts, etc. Et encore si les fougueux orateurs ne s'en étaient pris qu'à l'administration intérieure de la cité! Mais non, emportés par le courant, ils devaient aller au delà, et, si la Providence n'intervenait pas, entraîner, pousser, précipiter leurs semblables dans les hasards de la guerre.

En effet, depuis huit ou neuf cents ans, Quiquendone avait dans son sac un *casus belli* de la plus belle qualité; mais elle le gardait précieusement, comme une relique, et il semblait avoir quelques chances de s'éventer et de ne plus pouvoir servir.

Voici à quel propos s'était produit ce *casus belli*.

On ne sait généralement pas que Quiquendone est voisine, en ce bon coin de la Flandre, de la petite ville de Virgamen. Les territoires de ces deux communes confinent l'un à l'autre.

Or, en 1185, quelque temps avant le départ du comte Baudouin pour la croisade, une vache de Virgamen—non point la vache d'un habitant, mais bien une vache communale, qu'on y fasse bien attention—vint pâturer sur le territoire de Quiquendone. C'est à peine si cette malheureuse ruminante

Tondit du pré trois fois la largeur de sa langue,

mais le délit, l'abus, le crime, comme on voudra, fut commis et dûment constaté par procès-verbal du temps, car, à cette époque, les magistrats commençaient à savoir écrire.

«Nous nous vengerons quand le moment en sera venu dit simplement Natalis van Tricasse, le trente-deuxième prédécesseur du bourgmestre actuel, et les Virgamenois ne perdront rien pour attendre!»

Les Virgamenois étaient prévenus. Ils attendirent, pensant, non sans raison, que le souvenir de l'injure s'affaiblirait avec le temps; et en effet, pendant plusieurs siècles, ils vécurent en bons termes avec leurs semblables de Quiquendone.

Mais ils comptaient sans leurs hôtes, ou plutôt sans cette épidémie étrange, qui, changeant radicalement le caractère de leurs voisins, réveilla dans ces coeurs la vengeance endormie.

Ce fut au club de la rue Monstrelet que le bouillant avocat Schut, jetant brusquement la question à la face de ses auditeurs, les passionna en employant les expressions et les métaphores qui sont d'usage en ces circonstances. Il rappela le délit, il rappela le tort commis à la commune de Quiquendone, et pour lequel une nation «jalouse de ses droits» ne pouvait admettre de prescription; il montra l'injure toujours vivante, la plaie toujours saignante; il parla de certains hochements de tête particuliers aux habitants de Virgamen, et qui indiquaient en quel mépris ils tenaient les habitants de Quiquendone; il supplia ses compatriotes, qui, «inconsciemment» peut-être, avaient supporté pendant de longs siècles cette mortelle injure; il adjura «les enfants de la vieille cité» de ne plus avoir d'autre «objectif» que d'obtenir une réparation éclatante! Enfin, il fit un appel à «toutes les forces vives» de la nation!

Avec quel enthousiasme ces paroles, si nouvelles pour des oreilles quiquendoniennes, furent accueillies, cela se sent, mais ne peut se dire. Tous les auditeurs s'étaient levés, et, les bras tendus, ils demandaient la guerre à grands cris. Jamais l'avocat Schut n'avait eu un tel succès, et il faut avouer qu'il avait été très-beau.

Le bourgmestre, le conseiller, tous les notables qui assistaient à cette mémorable séance auraient inutilement voulu résister à l'élan populaire. D'ailleurs, ils n'en avaient aucune envie, et sinon plus, du moins aussi haut que les autres, ils criaient:

«À la frontière! À la frontière!»

Or, comme la frontière n'était qu'à trois kilomètres des murs de Quiquendone, il est certain que les Virgamenois couraient un véritable danger, car ils pouvaient être envahis avant d'avoir eu le temps de se reconnaître.

Cependant l'honorable pharmacien Josse Liefrinck, qui avait seul conservé son bon sens dans cette grave circonstance, voulut faire comprendre que l'on manquait de fusils, de canons et de généraux.

Il lui fut répondu, non sans quelques horions, que ces généraux, ces canons, ces fusils, on les improviserait; que le bon droit et l'amour du pays suffisaient et rendaient un peuple irrésistible.

Là-dessus, le bourgmestre prit lui-même la parole, et, dans une improvisation sublime, il fit justice de ces gens pusillanimes, qui déguisent la peur sous le voile de la prudence, et ce voile, il le déchira d'une main patriote.

On aurait pu croire à ce moment que la salle allait crouler sous les applaudissements.

On demanda le vote.

Le vote se fit par acclamations, et les cris redoublèrent:

«À Virgamen! À Virgamen!»

Le bourgmestre s'engagea alors à mettre les armées en mouvement, et, au nom de la cité, il promit à celui de ses futurs généraux qui reviendrait vainqueur les honneurs du triomphe, comme cela se pratiquait au temps des Romains.

Cependant le pharmacien Josse Liefrinck, qui était un entêté, et qui ne se tenait pas pour battu, bien qu'il l'eût été réellement, voulut encore placer une observation. Il fit remarquer qu'à Rome le triomphe ne s'accordait aux généraux vainqueurs que lorsqu'ils avaient tué cinq mille hommes à l'ennemi.

«Eh bien! eh bien! s'écria l'assistance en délire.

—... Et que la population de la commune de Virgamen ne s'élevant qu'à trois mille cinq cent soixante-quinze habitants, il serait difficile, à moins de tuer plusieurs fois la même personne ...»

Mais on ne laissa pas achever le malheureux logicien, et tout contus, tout moulu, il fut jeté à la porte.

«Citoyens, dit alors l'épicier Puimacher, qui vendait communément des épices au détail, citoyens, quoi qu'en ait dit ce lâche apothicaire, je m'engage, moi, à tuer cinq mille Virgamenois, si vous voulez accepter mes services.

—Cinq mille cinq cents! cria un patriote plus résolu.

—Six mille six cents! reprit l'épicier.

—Sept mille! s'écria le confiseur de la rue Hemling, Jean Orbideck, qui était en train de faire sa fortune dans les crèmes fouettées.

—Adjugé!» s'écria le bourgmestre van Tricasse, en voyant que personne ne mettait de surenchère.

Et voilà comment le confiseur Jean Orbideck devint général en chef des troupes de Quiquendone.

XII

Dans lequel le préparateur Ygène émet un avis raisonnable, qui est repoussé avec vivacité par le docteur Ox.

«Eh bien! maître, disait le lendemain le préparateur Ygène, en versant des seaux d'acide sulfurique dans l'auge de ses énormes piles.

—Eh bien! reprit le docteur Ox, n'avais-je pas raison? Voyez à quoi tiennent, non-seulement les développements physiques de toute une nation, mais sa moralité, sa dignité, ses talents, son sens politique! Ce n'est qu'une question de molécules....

—Sans doute, mais....

—Mais?...

—Ne trouvez-vous pas que les choses sont allées assez loin, et qu'il ne faudrait pas surexciter ces pauvres diables outre mesure?

—Non! non! s'écria le docteur, non! j'irai jusqu'au bout.

—Comme vous voudrez, maître; toutefois l'expérience me paraît concluante, et je pense qu'il serait temps de....

—De?...

—De fermer le robinet.

—Par exemple! s'écria le docteur Ox. Avisez-vous-en, et je vous étrangle!»

XIII

Où il est prouvé une fois de plus que d'un lieu élevé on domine toutes les petitesses humaines.

«Vous dites? demanda le bourgmestre van Tricasse au conseiller Niklausse.

—Je dis que cette guerre est nécessaire, répondit le conseiller d'un ton ferme, et que le temps est venu de venger notre injure.

—Eh bien! moi, répondit avec aigreur le bourgmestre, je vous répète que, si la population de Quiquendone ne profitait pas de cette occasion pour revendiquer ses droits, elle serait indigne de son nom.

—Et moi, je vous soutiens que nous devons sans tarder réunir nos cohortes et les porter en avant.

—Vraiment! monsieur, vraiment! répondit van Tricasse, et c'est à moi que vous parlez ainsi?

—À vous-même, monsieur le bourgmestre, et vous entendrez, la vérité, si dure qu'elle soit.

—Et vous l'entendrez vous-même, monsieur le conseiller, riposta van Tricasse hors de lui, car elle sortira mieux de ma bouche que de la vôtre! Oui, monsieur, oui, tout retard serait déshonorant. Il y a neuf cents ans que la ville de Quiquendone attend le moment de prendre sa revanche, et quoi que vous puissiez dire, que cela vous convienne ou non, nous marcherons à l'ennemi.

—Ah! vous le prenez ainsi, répondit vertement le conseiller Niklausse. Eh bien! monsieur, nous y marcherons sans vous, s'il ne vous plaît pas d'y venir.

—La place d'un bourgmestre est au premier rang, monsieur.

—Et celle d'un conseiller aussi, monsieur.

—Vous m'insultez par vos paroles en contrecarrant toutes mes volontés, s'écria le bourgmestre, dont les poings avaient une tendance à se changer en projectiles percutants.

—Et vous m'insultez également en doutant de mon patriotisme, s'écria Niklausse, qui lui-même s'était mis en batterie.

—Je vous dis, monsieur, que l'armée quiquendonienne se mettra en marche avant deux jours!

—Et je vous répète, moi, monsieur, que quarante-huit heures ne s'écouleront pas avant que nous ayons marché à l'ennemi!»

Il est facile d'observer par ce fragment de conversation que les deux interlocuteurs soutenaient exactement la même idée. Tous deux voulaient la bataille; mais leur surexcitation les portant à disputer, Niklausse n'écoutait pas van Tricasse et van Tricasse n'écoutait pas Niklausse. Ils eussent été d'une opinion contraire sur cette grave question, le bourgmestre aurait voulu la guerre et le conseiller aurait tenu pour la paix, que l'altercation n'aurait pas été plus violente. Ces deux anciens amis se jetaient des regards farouches. Au mouvement accéléré de leur coeur, à leur face rougie, à leurs pupilles contractées, au tremblement de leurs muscles, à leur voix, dans laquelle il y avait du rugissement, on comprenait qu'ils étaient prêts à se jeter l'un sur l'autre.

Mais une grosse horloge qui sonna arrêta heureusement les adversaires au moment où ils allaient en venir aux mains.

«Enfin, voilà l'heure, s'écria le bourgmestre.

—Quelle heure? demanda le conseiller.

—L'heure d'aller à la tour du beffroi.

—C'est juste, et que cela vous plaise ou non, j'irai, monsieur.

—Moi aussi.

—Sortons!

—Sortons!»

Ces derniers mots pourraient faire supposer qu'une rencontre allait avoir lieu et que les adversaires se rendaient sur le terrain, mais il n'en était rien. Il avait été convenu que le bourgmestre et le conseiller—en réalité les deux principaux notables de la cité—se rendaient à l'hôtel de ville, que là ils monteraient sur la tour, très-élevée, qui le dominait, et qu'ils examineraient la campagne environnante, afin de prendre les meilleures dispositions stratégiques qui pussent assurer la marche de leurs troupes.

Bien qu'ils fussent tous deux d'accord à ce sujet, ils ne cessèrent pendant le trajet de se quereller avec la plus condamnable vivacité. On entendait les éclats de leur voix retentir dans les rues; mais tous les passants étant montés à ce diapason, leur exaspération semblait naturelle, et l'on n'y prenait pas garde. En ces circonstances, un homme calme eût été considéré comme un monstre.

Le bourgmestre et le conseiller, arrivés au porche du beffroi, étaient dans le paroxysme de la fureur. Ils n'étaient plus rouges, mais pâles. Cette effroyable discussion, bien qu'ils fussent d'accord, avait déterminé quelques spasmes dans leurs viscères, et l'on sait que la pâleur prouve que la colère est portée à ses dernières limites.

Au pied de l'étroit escalier de la tour, il y eut une véritable explosion. Qui passerait le premier? Qui gravirait d'abord les marches de l'escalier en colimaçon? La vérité nous oblige à dire qu'il y eut bousculade, et que le conseiller Niklausse, oubliant tout ce qu'il devait à son supérieur, au magistrat suprême de la cité, repoussa violemment van Tricasse et s'élança le premier dans la vis obscure.

Tous deux montèrent, d'abord quatre à quatre, en se lançant à la tête les épithètes les plus malsonnantes. C'était à faire craindre qu'un dénouement terrible ne s'accomplît au sommet de cette tour, qui dominait de trois cent cinquante-sept pieds le pavé de la ville.

Mais les deux ennemis s'essoufflèrent bientôt, et, au bout d'une minute, à la quatre-vingtième marche, ils ne montaient plus que lourdement, en respirant à grand bruit.

Mais alors,—fut-ce une conséquence de leur essoufflement?—si leur colère ne tomba pas, du moins elle ne se traduisit plus par une succession de qualificatifs inconvenants. Ils se taisaient, et, chose bizarre, il semblait que leur exaltation diminuât à mesure qu'ils s'élevaient au-dessus de la ville. Une sorte d'apaisement se faisait dans leur esprit. Les bouillonnements de leur cerveau tombaient comme ceux d'une cafetière que l'on écarte du feu. Pourquoi?

À ce pourquoi, nous ne pouvons faire aucune réponse; mais la vérité est que, arrivés à un certain palier, à deux cent soixante-six pieds au-dessus du niveau de la ville, les deux adversaires s'assirent, et, véritablement plus calmes, ils se regardèrent pour ainsi dire sans colère.

«Que c'est haut! dit le bourgmestre en passant son mouchoir sur sa face rubiconde.

—Très-haut! répondit le conseiller. Vous savez que nous dépassons de quatorze pieds Saint-Michel de Hambourg?

—Je le sais,» répondit le bourgmestre avec un accent de vanité bien pardonnable à la première autorité de Quiquendone.

Au bout de quelques instants, les deux notables continuaient leur marche ascensionnelle, jetant un regard curieux à travers les meurtrières percées dans la paroi de la tour. Le bourgmestre avait pris la tête de la caravane, sans que le conseiller eût fait la moindre observation. Il arriva même que, vers la trois cent quatrième marche, van Tricasse étant absolument éreinté, Niklausse le poussa complaisamment par les reins. Le bourgmestre se laissa faire, et quand il arriva à la plate-forme de la tour:

«Merci, Niklausse, dit-il gracieusement, je vous revaudrai cela.»

Tout à l'heure, c'étaient deux bêtes fauves prêtes à se déchirer qui s'étaient présentées au bas de la tour; c'étaient maintenant deux amis qui arrivaient à son sommet.

Le temps était magnifique. On était au mois de mai. Le soleil avait bu toutes les vapeurs. Quelle atmosphère pure et limpide! Le regard pouvait saisir les plus minces objets dans un rayon considérable. On apercevait à quelques milles seulement les murs de Virgamen éclatants de blancheur, ses toits rouges, qui pointaient çà et là, ses clochers piquetés de lumière. Et c'était cette ville vouée d'avance à toutes les horreurs du pillage et de l'incendie!

Le bourgmestre et le conseiller s'étaient assis l'un près de l'autre, sur un petit banc de pierre, comme deux braves gens dont les âmes se confondent dans une étroite sympathie. Tout en soufflant, ils regardaient; puis, après quelques instants de silence:

«Que c'est beau! s'écria le bourgmestre.

—Oui, c'est admirable! répondit le conseiller. Est-ce qu'il ne vous semble pas, mon digne van Tricasse, que l'humanité est plutôt destinée à demeurer à de telles hauteurs, qu'à ramper sur l'écorce même de notre sphéroïde?

—Je pense comme vous, honnête Niklausse, répondit le bourgmestre, je pense comme vous. On saisit mieux le sentiment qui se dégage de la nature! On l'aspire par tous les sens! C'est à de telles altitudes que les philosophes devraient se former, et c'est là que les sages devraient vivre au-dessus des misères de ce monde!

—Faisons-nous le tour de la plate-forme? demanda le conseiller.

—Faisons le tour de la plate-forme», répondit le bourgmestre.

Et les deux amis, appuyés au bras l'un de l'autre, et mettant, comme autrefois, de longues poses entre leurs demandes et leurs réponses, examinèrent tous les points de l'horizon.

«Il y a au moins dix-sept ans que je ne me suis élevé sur la tour du beffroi, dit van Tricasse.

—Je ne crois pas que j'y sois jamais monté, répondit le conseiller Niklausse, et je le regrette, car de cette hauteur le spectacle est sublime! Voyez-vous, mon ami, cette jolie rivière du Vaar qui serpente entre les arbres?

—Et plus loin les hauteurs de Saint-Hermandad! Comme elles ferment gracieusement l'horizon! Voyez cette bordure d'arbres verts, que la nature a si pittoresquement disposés! Ah! la nature, la nature, Niklausse! La main de l'homme pourrait-elle jamais lutter avec elle!

—C'est enchanteur, mon excellent ami, répondait le conseiller. Regardez ces troupeaux attablés dans les prairies verdoyantes, ces boeufs, ces vaches, ces moutons ...

—Et ces laboureurs qui vont aux champs! On dirait des bergers de l'Arcadie, il ne leur manque qu'une musette!

—Et sur toute cette campagne fertile, le beau ciel bleu que ne trouble pas une vapeur! Ah! Niklausse, on deviendrait poëte ici! Tenez, je ne comprends pas que saint Siméon le Stylite n'ait pas été un des plus grands poëtes du monde.

—C'est peut-être parce que sa colonne n'était pas assez haute!» répondit le conseiller avec un doux sourire.

En ce moment, le carillon de Quiquendone se mit en branle. Les cloches limpides jouèrent un de leurs airs les plus mélodieux. Les deux amis demeurèrent en extase.

Puis de sa voix calme:

«Mais, ami Niklausse, dit le bourgmestre, que sommes-nous venus faire au haut de cette tour?

—Au fait, répondit le conseiller, nous nous laissons emporter par nos rêveries ...

—Que sommes-nous venus faire ici? répéta le bourgmestre.

—Nous sommes venus, répondit Niklausse, respirer cet air pur que n'ont pas vicié les faiblesses humaines.

—Eh bien, redescendons-nous, ami Niklausse?

—Redescendons, ami van Tricasse.»

Les deux notables donnèrent un dernier coup d'oeil au splendide panorama qui se déroulait sous leurs yeux; puis le bourgmestre passa le premier et commença à descendre d'un pas lent et mesuré. Le conseiller le suivait, à quelques marches derrière lui. Les deux notables arrivèrent au palier sur lequel ils s'étaient arrêtés en montant. Déjà leurs joues commençaient à s'empourprer. Ils s'arrêtèrent un instant et reprirent leur descente interrompue.

Au bout d'une minute, van Tricasse pria Niklausse de modérer ses pas, attendu qu'il le sentait sur ses talons et que «cela le gênait».

Cela même fit plus que de le gêner, car, vingt marches plus bas, il ordonna au conseiller de s'arrêter, afin qu'il pût prendre quelque avance.

Le conseiller répondit qu'il n'avait pas envie de rester une jambe en l'air à attendre le bon plaisir du bourgmestre, et il continua.

Van Tricasse répondit par une parole assez dure.

Le conseiller riposta par une allusion blessante sur l'âge du bourgmestre, destiné, par ses traditions de famille, à convoler en secondes noces.

Le bourgmestre descendit vingt marches encore, en prévenant nettement Niklausse que cela ne se passerait pas ainsi.

Niklausse répliqua qu'en tout cas, lui, passerait devant, et, l'escalier étant fort étroit, il y eut collision entre les deux notables, qui se trouvaient alors dans une profonde obscurité.

Les mots de butors et de mal-appris furent les plus doux de ceux qui s'échangèrent alors.

«Nous verrons, sotte bête, criait le bourgmestre, nous verrons quelle figure vous ferez dans cette guerre et à quel rang vous marcherez!

—Au rang qui précédera le vôtre, sot imbécile!» répondait Niklausse.

Puis, ce furent d'autres cris, et l'on eût dit que des corps roulaient ensemble ...

Que se passa-t-il? Pourquoi ces dispositions si rapidement changées? Pourquoi les moutons de la plate-forme se métamorphosaient-ils en tigres deux cents pieds plus bas?

Quoi qu'il en soit, le gardien de la tour, entendant un tel tapage, vint ouvrir la porte inférieure, juste au moment où les adversaires, contusionnés, les yeux hors de la tête, s'arrachaient réciproquement leurs cheveux, qui, heureusement, formaient perruque.

«Vous me rendrez raison! s'écria le bourgmestre en portant son poing sous le nez de son adversaire.

—Quand il vous plaira!» hurla le conseiller Niklausse, en imprimant à son pied droit un balancement redoutable.

Le gardien, qui lui-même était exaspéré,—on ne sait pas pourquoi,—trouva cette scène de provocation toute naturelle. Je ne sais quelle surexcitation personnelle le poussait à se mettre de la partie; mais il se contint et alla répandre dans tout le quartier qu'une rencontre prochaine devait avoir lieu entre le bourgmestre van Tricasse et le conseiller Niklausse.

XIV

Où les choses sont poussées si loin que les habitants de Quiquendone, les lecteurs et même l'auteur réclament un dénoûment immédiat.

Ce dernier incident prouve à quel point d'exaltation était montée cette population quiquendonienne. Les deux plus vieux amis de la ville, et les plus doux,—avant l'invasion du mal,—en arriver à ce degré de violence! Et cela quelques minutes seulement après que leur ancienne sympathie, leur instinct aimable, leur tempérament contemplatif venaient de reprendre le dessus au sommet de cette tour!

En apprenant ce qui se passait, le docteur Ox ne put contenir sa joie. Il résistait aux arguments de son préparateur, qui voyait les choses prendre une mauvaise tournure. D'ailleurs, tous deux subissaient l'exaltation générale. Ils étaient non moins surexcités que le reste de la population, et ils en arrivèrent à se quereller à l'égal du bourgmestre et du conseiller.

Du reste, il faut le dire, une question primait toutes les autres et avait fait renvoyer les rencontres projetées à l'issue de la question virgamenoise. Personne n'avait le droit de verser son sang inutilement, quand il appartenait jusqu'à la dernière goutte à la patrie en danger.

En effet, les circonstances étaient graves, et il n'y avait plus à reculer.

Le bourgmestre van Tricasse, malgré toute l'ardeur guerrière dont il était animé, n'avait pas cru devoir se jeter sur son ennemi sans le prévenir. Il avait donc, par l'organe du garde champêtre, le sieur Hottering, mis les Virgamenois en demeure de lui donner réparation du passe-droit commis en 1195 sur le territoire de Quiquendone.

Les autorités de Virgamen, tout d'abord, n'avaient pu deviner ce dont il s'agissait, et le garde champêtre, malgré son caractère officiel, avait été éconduit fort cavalièrement.

Van Tricasse envoya alors un des aides de camp du général confiseur, le citoyen Hildevert Shuman, un fabricant de sucre d'orge, homme très-ferme, très-énergique, qui apporta aux autorités de Virgamen la minute même du procès-verbal rédigé en 1195 par les soins du bourgmestre Natalis van Tricasse.

Les autorités de Virgamen éclatèrent de rire, et il en fut de l'aide de camp exactement comme du garde champêtre.

Le bourgmestre assembla alors les notables de la ville. Une lettre, remarquablement et vigoureusement rédigée, fut faite en forme d'ultimatum; le *casus belli* y était nettement posé, et un délai de vingt-quatre heures fut donné à la ville coupable pour réparer l'outrage fait à Quiquendone.

La lettre partit, et revint, quelques heures après, déchirée en petits morceaux, qui formaient autant d'insultes nouvelles. Les Virgamenois connaissaient de longue date la longanimité des Quiquendoniens, et ils se moquaient d'eux, de leur réclamation, de leur *casus belli* et de leur ultimatum.

Il n'y avait plus qu'une chose à faire: s'en rapporter au sort des armes, invoquer le dieu des batailles et, suivant le procédé prussien, se jeter sur les Virgamenois avant qu'ils fussent tout à fait prêts.

C'est ce que décida le conseil dans une séance solennelle, où les cris, les objurgations, les gestes menaçants s'entre-croisèrent avec une violence sans exemple. Une assemblée de fous, une réunion de possédés, un club de démoniaques n'eût pas été plus tumultueux.

Aussitôt que la déclaration de guerre fut connue, le général Jean Orbideck rassembla ses troupes, soit deux mille trois cent quatre-vingt-treize combattants sur une population de deux mille trois cent quatre-vingt-treize âmes. Les femmes, les enfants, les vieillards s'étaient joints aux hommes faits. Tout objet tranchant ou contondant était devenu une arme. Les fusils de la ville avaient été mis en réquisition. On en avait découvert cinq, dont deux sans chiens, et ils avaient été distribués à l'avant-garde. L'artillerie se composait de la vieille couleuvrine du château, prise en 1339 à l'attaque du Quesnoy, l'une des premières bouches à feu dont il soit fait mention dans l'histoire, et qui n'avait pas tiré depuis cinq siècles. D'ailleurs, point de projectiles à y fourrer, fort heureusement pour les servants de ladite pièce; mais tel qu'il était, cet engin pouvait encore imposer à l'ennemi. Quant aux armes blanches, elles avaient été puisées dans le musée d'antiquités, haches de silex, heaumes, masses d'armes, francisques, framées, guisardes, pertuisanes, verdiers, rapières, etc., et aussi dans ces arsenaux particuliers, connus généralement sous les noms d'*offices* et de *cuisines*. Mais le courage, le bon droit, la haine de l'étranger, le désir de la vengeance devaient tenir lieu d'engins plus perfectionnés et remplacer—du moins on l'espérait—les mitrailleuses modernes et les canons se chargeant par la culasse.

Une revue fut passée. Pas un citoyen ne manqua à l'appel. Le général Orbideck, peu solide sur son cheval, qui était un animal malin, tomba trois fois devant le front de l'armée: mais il se releva sans s'être blessé, ce qui fut considéré comme un augure favorable Le bourgmestre, le conseiller, le commissaire civil, le grand-juge, le percepteur, le banquier, le recteur, enfin tous les notables de la cité marchaient en tête. Il n'y eut pas une larme répandue ni par les mères, ni par les soeurs, ni par les filles. Elles poussaient leurs maris, leurs pères, leurs frères au combat, et les suivaient même en formant l'arrière-garde, sous les ordres de la courageuse Mme van Tricasse.

La trompette du crieur Jean Mistrol retentit; l'armée s'ébranla, quitta la place, et, poussant des cris féroces, elle se dirigea vers la porte d'Audenarde.

Au moment où la tête de colonne allait franchir les murailles de la ville, un homme se jeta au-devant d'elle.

«Arrêtez! arrêtez! fous que vous êtes! s'écria-t-il. Suspendez vos coups! Laissez-moi fermer le robinet! Vous n'êtes point altérés de sang! Vous êtes de bons bourgeois doux et paisibles! Si vous brûlez ainsi, c'est la faute de mon maître, le docteur Ox! C'est une expérience! Sous prétexte de vous éclairer au gaz oxy-hydrique, il a saturé ...»

Le préparateur était hors de lui; mais il ne put achever. Au moment où le secret du docteur allait s'échapper de sa bouche, le docteur Ox lui-même, dans une indescriptible fureur, se précipita sur le malheureux Ygène, et il lui ferma la bouche à coups de poing.

Ce fut une bataille. Le bourgmestre, le conseiller, les notables, qui s'étaient arrêtés à la vue d'Ygène, emportés à leur tour par leur exaspération, se précipitèrent sur les deux étrangers, sans vouloir entendre ni l'un ni l'autre. Le docteur Ox et son préparateur, houspillés, battus, allaient être, sur l'ordre de van Tricasse, entraînés au violon, quand ...

XV

Où le dénoûment éclate.

... quand une explosion formidable retentit. Toute l'atmosphère qui enveloppait Quiquendone parut comme embrasée. Une flamme d'une intensité, d'une vivacité phénoménale s'élança comme un météore jusque dans les hauteurs du ciel. S'il avait fait nuit, cet embrasement eût été aperçu à dix lieues à la ronde.

Toute l'armée de Quiquendone fut couchée à terre, comme une armée de capucins ... Heureusement il n'y eut aucune victime: quelques écorchures et quelques bobos, voilà tout. Le confiseur, qui par hasard n'était pas tombé de cheval à ce moment, eut son plumet roussi, et s'en tira sans autre blessure.

Que s'était-il passé?

Tout simplement, comme on l'apprit bientôt, l'usine à gaz venait de sauter. Pendant l'absence du docteur et de son aide, quelque imprudence avait été probablement commise. On ne sait ni comment ni pourquoi une communication s'était établie entre le réservoir qui contenait l'oxygène et celui qui renfermait l'hydrogène. De la réunion de ces deux gaz était résulté un mélange détonant, auquel le feu fut mis par mégarde.

Cela changea tout;—mais quand l'armée se releva, le docteur Ox et le préparateur Ygène avaient disparu.

XVI

Où le lecteur intelligent voit bien qu'il avait deviné juste, malgré toutes les précautions de l'auteur.

Après l'explosion, Quiquendone était immédiatement redevenue la cité paisible, flegmatique et flamande qu'elle était autrefois.

Après l'explosion, qui d'ailleurs ne causa pas une profonde émotion, chacun, sans savoir pourquoi, machinalement, reprit le chemin de sa maison, le bourgmestre appuyé au bras du conseiller, l'avocat Schut au bras du médecin Custos, Frantz Niklausse au bras de son rival Simon Collaert, chacun tranquillement, sans bruit, sans avoir même conscience de ce qui s'était passé, ayant déjà oublié Virgamen et la vengeance. Le général était retourné à ses confitures, et son aide de camp à ses sucres d'orge.

Tout était rentré dans le calme, tout avait repris la vie habituelle, hommes et bêtes, bêtes et plantes, même la tour de la porte d'Audenarde, que l'explosion,—ces explosions sont quelquefois étonnantes,—que l'explosion avait redressée!

Et, depuis lors, jamais un mot plus haut que l'autre, jamais une discussion dans la ville de Quiquendone. Plus de politique, plus de clubs, plus de procès, plus de sergents de ville! La place du commissaire Passauf recommença à être une sinécure, et si on ne lui retrancha pas ses appointements, c'est que le bourgmestre et le conseiller ne purent se décider à prendre une décision à son égard. D'ailleurs, de temps en temps, il continuait de passer, mais sans s'en douter, dans les rêves de l'inconsolable Tatanémance.

Quant au rival de Frantz, il abandonna généreusement la charmante Suzel à son amoureux, qui s'empressa de l'épouser cinq ou six ans après ces événements.

Et quant à Mme van Tricasse, elle mourut dix ans plus tard, en les délais voulus, et le bourgmestre se maria avec Mlle Pélagie van Tricasse, sa cousine, dans des conditions excellentes.... pour l'heureuse mortelle qui devait lui succéder.

XVII

Où s'explique la théorie du docteur Ox.

Qu'avait donc fait ce mystérieux docteur Ox? Une expérience fantaisiste, rien de plus.

Après avoir établi ses conduites de gaz, il avait saturé d'oxygène pur, sans jamais leur fournir un atome d'hydrogène, les monuments publics, puis les maisons particulières, et enfin les rues de Quiquendone.

Ce gaz, sans saveur, sans odeur, répandu à cette haute dose dans l'atmosphère, cause, quand il est aspiré, les troubles les plus sérieux à l'organisme. À vivre dans un milieu saturé d'oxygène, on est excité, surexcité, on brûle!

À peine rentré dans l'atmosphère ordinaire, on redevient ce qu'on était avant, voire le cas du conseiller et du bourgmestre, quand, au haut du beffroi, ils se retrouvèrent dans l'air respirable, l'oxygène se maintenant par son poids parmi les couches inférieures.

Mais aussi, à vivre en de telles conditions, à respirer ce gaz qui transforme physiologiquement le corps aussi bien que l'âme, on meurt vite, comme ces fous qui mènent la vie à outrance!

Il fut donc heureux pour les Quiquendoniens qu'une providentielle explosion eût terminé cette dangereuse expérience, en anéantissant l'usine du docteur Ox.

En résumé, et pour conclure, la vertu, le courage, le talent, l'esprit, l'imagination, toutes ces qualités ou ces facultés ne seraient-elles donc qu'une question d'oxygène?

Telle est la théorie du docteur Ox, mais on a le droit de ne point l'admettre, et, pour notre compte, nous la repoussons à tous les points de vue, malgré la fantaisiste expérimentation dont fut le théâtre l'honorable ville de Quiquendone.

FIN

MAÎTRE ZACHARIUS

I
NUIT D'HIVER

La ville de Genève est située à la pointe occidentale du lac auquel elle a donné ou doit son nom. Le Rhône, qui la traverse à sa sortie du lac, la partage en deux quartiers distincts, et est divisé lui-même, au centre de la cité, par une île jetée entre ses deux rives. Cette disposition topographique se reproduit souvent dans les grands centres de commerce ou d'industrie. Sans doute, les premiers indigènes furent séduits par les facilités de transport que leur offraient les bras rapides des fleuves, «ces chemins qui marchent tout seuls», suivant le mot de Pascal. Avec le Rhône, ce sont des chemins qui courent.

Au temps où des constructions neuves et régulières ne s'élevaient pas encore sur cette île, ancrée comme une galiote hollandaise au milieu du fleuve, le merveilleux entassement de maisons grimpées les unes sur les autres offrait à l'oeil une confusion pleine de charmes. Le peu d'étendue de l'île avait forcé quelques-unes de ces constructions à se jucher sur des pilotis, engagés pêle-mêle dans les rudes courants du Rhône. Ces gros madriers, noircis par les temps, usés par les eaux, ressemblaient aux pattes d'un crabe immense et produisaient un effet fantastique. Quelques filets jaunis, véritables toiles d'araignée tendues au sein de cette substruction séculaire, s'agitaient dans l'ombre comme s'ils eussent été le feuillage de ces vieux bois de chêne, et le fleuve, s'engouffrant au milieu de cette forêt de pilotis, écumait avec de lugubres mugissements.

Une des habitations de l'île frappait par son caractère d'étrange vétusté. C'était la maison du vieil horloger, maître Zacharius, de sa fille Gérande, d'Aubert Thŭn, son apprenti, et de sa vieille servante Scholastique.

Quel homme à part que ce Zacharius! Son âge semblait indéchiffrable. Nul des plus vieux de Genève n'eût pu dire depuis combien de temps sa tête maigre et pointue vacillait sur ses épaules, ni quel jour, pour la première fois, on le vit marcher par les rues de la ville, en laissant flotter à tous les vents sa longue chevelure blanche. Cet homme ne vivait pas. Il oscillait à la façon du balancier de ses horloges. Sa figure, sèche et cadavérique, affectait des teintes sombres. Comme les tableaux de Léonard de Vinci, il avait poussé au noir.

Gérande habitait la plus belle chambre de la vieille maison, d'où, par une étroite fenêtre, son regard allait mélancoliquement se reposer sur les cimes neigeuses du Jura; mais la chambre à coucher et l'atelier du vieillard occupaient une sorte de cave, située presque au ras du fleuve et dont le plancher reposait sur les pilotis mêmes. Depuis un temps immémorial, maître Zacharius n'en sortait qu'aux heures des repas et quand il allait régler les différentes horloges de la ville. Il passait le reste du temps près d'un établi couvert de nombreux instruments d'horlogerie, qu'il avait pour la plupart inventés.

Car c'était un habile homme. Ses oeuvres se prisaient fort dans toute la France et l'Allemagne. Les plus industrieux ouvriers de Genève reconnaissaient hautement sa supériorité, et c'était un honneur pour cette ville, qui le montrait en disant:

«À lui revient la gloire d'avoir inventé l'échappement!»

En effet, de cette invention, que les travaux de Zacharius feront comprendre plus tard, date la naissance de la véritable horlogerie.

Or, après avoir longuement et merveilleusement travaillé, Zacharius remettait avec lenteur ses outils en place, recouvrait de légères verrines les fines pièces qu'il venait d'ajuster, et rendait le repos à la roue active de son tour; puis il soulevait un judas pratiqué dans le plancher de son réduit, et là, penché des heures entières, tandis que le Rhône se précipitait avec fracas sous ses yeux, il s'enivrait à ses brumeuses vapeurs.

Un soir d'hiver, la vieille Scholastique servit le souper, auquel, selon les antiques usages, elle prenait part avec le jeune ouvrier. Bien que des mets soigneusement apprêtés lui fussent offerts dans une belle vaisselle bleue et blanche, maître Zacharius ne mangea pas. Il répondit à peine aux douces paroles de Gérande, que la taciturnité plus sombre de son père préoccupait visiblement, et le babillage de Scholastique elle-même ne frappa pas plus son oreille que ces grondements du fleuve auxquels il ne prenait plus garde. Après ce repas silencieux, le vieil horloger quitta la table sans embrasser sa fille, sans donner à tous le bonsoir accoutumé. Il disparut par l'étroite porte qui conduisait à sa retraite, et, sous ses pas pesants, l'escalier gémit avec de lourdes plaintes.

Gérande, Aubert et Scholastique demeurèrent quelques instants sans parler. Ce soir-là, le temps était sombre; les nuages se traînaient lourdement le long des Alpes et menaçaient de se fondre en pluie; la sévère température de la

Suisse emplissait l'âme de tristesse, tandis que les vents du midi rôdaient aux alentours et jetaient de sinistres sifflements.

«Savez-vous bien, ma chère demoiselle, dit enfin Scholastique, que notre maître est tout en dedans depuis quelques jours? Sainte Vierge! Je comprends qu'il n'ait pas eu faim, car ses paroles lui sont restées dans le ventre, et bien adroit serait le diable qui lui en tirerait quelqu'une!

—Mon père a quelque secret motif de chagrin que je ne puis même pas soupçonner, répondit Gérande, tandis qu'une douloureuse inquiétude s'imprimait sur son visage.

—Mademoiselle, ne permettez pas à tant de tristesse d'envahir votre coeur. Vous connaissez les singulières habitudes de maître Zacharius. Qui peut lire sur son front ses pensées secrètes? Quelque ennui sans doute lui est survenu, mais demain il ne s'en souviendra pas et se repentira vraiment d'avoir causé quelque peine à sa fille.»

C'était Aubert qui parlait de cette façon, en fixant ses regards sur les beaux yeux de Gérande. Aubert, le seul ouvrier que maître Zacharius eût jamais admis à l'intimité de ses travaux, car il appréciait son intelligence, sa discrétion et sa grande bonté d'âme, Aubert s'était attaché à Gérande avec cette foi mystérieuse qui préside aux dévouements héroïques.

Gérande avait dix-huit ans. L'ovale de son visage rappelait celui des naïves madones que la vénération suspend encore au coin des rues des vieilles cités de Bretagne. Ses yeux respiraient une simplicité infinie. On l'aimait, comme la plus suave réalisation du rêve d'un poëte. Ses vêtements affectaient des couleurs peu voyantes, et le linge blanc qui se plissait sur ses épaules avait cette teinte et cette senteur particulières au linge d'Église. Elle vivait d'une existence mystique dans cette ville de Genève, qui n'était pas encore livrée à la sécheresse du calvinisme.

Ainsi que, soir et matin, elle lisait ses prières latines dans son missel à fermoir de fer, Gérande avait lu un sentiment caché dans le coeur d'Aubert Thün, quel dévouement profond le jeune ouvrier avait pour elle. Et en effet, à ses yeux, le monde entier se condensait dans cette vieille maison de l'horloger, et tout son temps se passait près de la jeune fille, quand, le travail terminé, il quittait l'atelier de son père.

La vieille Scholastique voyait cela, mais n'en disait mot. Sa loquacité s'exerçait de préférence sur les malheurs de son temps et les petites misères du ménage. On ne cherchait point à l'arrêter. Il en était d'elle comme de ces tabatières à musique que l'on fabriquait à Genève: une fois montée, il aurait fallu la briser pour qu'elle ne jouât pas tous ses airs.

En trouvant Gérande plongée dans une taciturnité douloureuse, Scholastique quitta sa vieille chaise de bois, fixa un cierge sur la pointe d'un chandelier, l'alluma et le posa près d'une petite vierge de cire abritée dans sa niche de pierre. C'était la coutume de s'agenouiller devant cette madone protectrice du foyer domestique, en lui demandant d'étendre sa grâce bienveillante sur la nuit prochaine; mais, ce soir-là, Gérande demeura silencieuse à sa place.

«Eh bien! ma chère demoiselle, dit Scholastique avec étonnement, le souper est fini, et voici l'heure du bonsoir. Voulez-vous donc fatiguer vos yeux dans des veilles prolongées?... Ah! sainte Vierge! c'est pourtant le cas de dormir et de retrouver un peu de joie dans de jolis rêves? À cette époque maudite où nous vivons, qui peut se promettre une journée de bonheur?

—Ne faudrait-il pas envoyer chercher quelque médecin pour mon père? demanda Gérande.

—Un médecin! s'écria la vieille servante. Maître Zacharius a-t-il jamais prêté l'oreille à toutes leurs imaginations et sentences! Il peut y avoir des médecines pour les montres, mais non pour les corps!

—Que faire? murmura Gérande. S'est-il remis au travail? s'est-il livré au repos?

—Gérande, répondit doucement Aubert, quelque contrariété morale chagrine maître Zacharius, et voilà tout.

—La connaissez-vous, Aubert?

—Peut-être, Gérande.

—Racontez-nous cela, s'écria vivement Scholastique, en éteignant parcimonieusement son cierge.

—Depuis plusieurs jours, Gérande, dit le jeune ouvrier, il se passe un fait absolument incompréhensible. Toutes les montres que votre père a faites et vendues depuis quelques années s'arrêtent subitement. On lui en a rapporté un grand nombre. Il les a démontées avec soin; les ressorts étaient en bon état et les rouages parfaitement établis. Il les a remontées avec plus de soin encore; mais, en dépit de son habileté, elles n'ont plus marché.

—Il y a du diable là-dessous! s'écria Scholastique.

—Que veux-tu dire? demanda Gérande. Ce fait me semble naturel. Tout est borné sur terre, et l'infini ne peut sortir de la main des hommes.

—Il n'en est pas moins vrai, répondit Aubert, qu'il y a en cela quelque chose d'extraordinaire et de mystérieux. J'ai aidé moi-même maître Zacharius à rechercher la cause de ce dérangement de ses montres, je n'ai pu la trouver, et, plus d'une fois, désespéré, les outils me sont tombés des mains.

—Aussi, reprit Scholastique, pourquoi se livrer à tout ce travail de réprouvé? Est-il naturel qu'un petit instrument de cuivre puisse marcher tout seul et marquer les heures? On aurait dû s'en tenir au cadran solaire!

—Vous ne parlerez plus ainsi, Scholastique, répondit Aubert, quand vous saurez que le cadran solaire fut inventé par Caïn.

—Seigneur mon Dieu! que m'apprenez-vous là?

—Croyez-vous, reprit ingénument Gérande, que l'on puisse prier Dieu de rendre la vie aux montres de mon père?

—Sans aucun doute, répondit le jeune ouvrier.

—Bon! Voici des prières inutiles, grommela la vieille servante, mais le Ciel en pardonnera l'intention.»

Le cierge fut rallumé. Scholastique, Gérande et Aubert s'agenouillèrent sur les dalles de la chambre, et la jeune fille pria pour l'âme de sa mère, pour la sanctification de la nuit, pour les voyageurs et les prisonniers, pour les bons et les méchants, et surtout pour les tristesses inconnues de son père.

Puis, ces trois dévotes personnes se relevèrent avec quelque confiance au coeur, car elles avaient remis leur peine dans le sein de Dieu.

Aubert regagna sa chambre, Gérande s'assit toute pensive près de sa fenêtre, pendant que les dernières lueurs s'éteignaient dans la ville de Genève, et Scholastique, après avoir versé un peu d'eau sur les tisons embrasés et poussé les deux énormes verrous de la porte, se jeta sur son lit, où elle ne tarda pas à rêver qu'elle mourait de peur.

Cependant, l'horreur de cette nuit d'hiver avait augmenté. Parfois, avec les tourbillons du fleuve, le vent s'engouffrait sous les pilotis, et la maison frissonnait tout entière; mais la jeune fille, absorbée par sa tristesse, ne songeait qu'à son père. Depuis les paroles d'Aubert Thün, la maladie de maître Zacharius avait pris à ses yeux des proportions fantastiques, et il lui semblait que cette chère existence, devenue purement mécanique, ne se mouvait plus qu'avec effort sur ses pivots usés.

Soudain l'abat-vent, violemment poussé parla rafale, heurta la fenêtre de la chambre. Gérande tressaillit et se leva brusquement, sans comprendre la cause de ce bruit qui secoua sa torpeur. Dès que son émotion se fut calmée, elle ouvrit le châssis. Les nuages avaient crevé, et une pluie torrentielle crépitait sur les toitures environnantes. La jeune fille se pencha au dehors pour attirer le volet ballotté par le vent, mais elle eut peur. Il lui parut que la pluie et le fleuve, confondant leurs eaux tumultueuses, submergeaient cette fragile maison dont les ais craquaient de toutes parts. Elle voulut fuir sa chambre; mais elle aperçut au-dessous d'elle la réverbération d'une lumière qui devait venir du réduit de maître Zacharius, et dans un de ces calmes momentanés pendant lesquels se taisent les éléments, son oreille fut frappée par des sons plaintifs. Elle tenta de refermer sa fenêtre et ne put y parvenir. Le vent la repoussait avec violence, comme un malfaiteur qui s'introduit dans une habitation.

Gérande pensa devenir folle de terreur! Que faisait donc son père? Elle ouvrit la porte, qui lui échappa des mains et battit bruyamment sous l'effort de la tempête. Gérande se trouva alors dans la salle obscure du souper, parvint, en tâtonnant, à gagner l'escalier qui aboutissait à l'atelier de maître Zacharius, et s'y laissa glisser, pâle et mourante.

Le vieil horloger était debout au milieu de cette chambre que remplissaient les mugissements du fleuve Ses cheveux hérissés lui donnaient un aspect sinistre. Il parlait, il gesticulait, sans voir, sans entendre! Gérande demeura sur le seuil.

«C'est la mort! disait maître Zacharius d'une voix sourde, c'est la mort!... Que me reste-t-il à vivre, maintenant que j'ai dispersé mon existence par le monde! car moi, maître Zacharius, je suis bien le créateur de toutes ces montres que j'ai fabriquées! C'est bien une partie de mon âme que j'ai enfermée dans chacune de ces boîtes de fer, d'argent ou d'or! Chaque fois que s'arrête une de ces horloges maudites, je sens mon coeur qui cesse de battre, car je les ai réglées sur ses pulsations!»

Et, en parlant de cette façon étrange, le vieillard jeta les yeux sur son établi. Là se trouvaient toutes les parties d'une montre qu'il avait soigneusement démontée. Il prit une sorte de cylindre creux, appelé barillet, dans lequel est enfermé le ressort, et il en retira la spirale d'acier qui, au lieu de se détendre, suivant les lois de son élasticité, demeura roulée sur elle-même, ainsi qu'une vipère endormie. Elle semblait nouée, comme ces vieillards impotents dont le sang s'est figé à la longue. Maître Zacharius essaya vainement de la dérouler de ses doigts amaigris, dont la silhouette s'allongeait démesurément sur la muraille, mais il ne put y parvenir, et bientôt, avec un terrible cri de colère, il la précipita par le judas dans les tourbillons du Rhône.

Gérande, les pieds cloués à terre, demeurait sans souffle, sans mouvement. Elle voulait et ne pouvait s'approcher de son père. De vertigineuses hallucinations s'emparaient d'elle. Soudain, elle entendit dans l'ombre une voix murmurer à son oreille:

«Gérande, ma chère Gérande! La douleur vous tient encore éveillée! Rentrez, je vous prie, la nuit est froide.

—Aubert! murmura la jeune fille à mi-voix. Vous! vous!

—Ne devais-je pas m'inquiéter de ce qui vous inquiète!» répondit Aubert.

Ces douces paroles firent revenir le sang au coeur de la jeune fille. Elle s'appuya au bras de l'ouvrier et lui dit:

«Mon père est bien malade, Aubert! Vous seul pouvez le guérir, car cette affection de l'âme ne céderait pas aux consolations de sa fille. Il a l'esprit frappé d'un accident fort naturel, et, en travaillant avec lui à réparer ses montres, vous le ramènerez à la raison. Aubert, il n'est pas vrai, ajouta-t-elle, encore tout impressionnée, que sa vie se confonde avec celle de ses horloges?»

Aubert ne répondit pas.

«Mais ce serait donc un métier réprouvé du Ciel que le métier de mon père? fit Gérande en frissonnant.

—Je ne sais, répondit l'ouvrier, qui réchauffa de ses mains les mains glacées de la jeune fille. Mais retournez à votre chambre, ma pauvre Gérande, et, avec le repos, reprenez quelque espérance!»

Gérande regagna lentement sa chambre, et elle y demeura jusqu'au jour, sans que le sommeil appesantit ses paupières, tandis que maître Zacharius, toujours muet et immobile, regardait le fleuve couler bruyamment à ses pieds.

II

L'ORGUEIL DE LA SCIENCE

La sévérité du marchand génevois en affaires est devenue proverbiale. Il est d'une probité rigide et d'une excessive droiture. Quelle dut donc être la honte de maître Zacharius, quand il vit ces montres, qu'il avait montées avec une si grande sollicitude, lui revenir de toutes parts.

Or, il était certain que ces montres s'arrêtaient subitement et sans aucune raison apparente. Les rouages étaient en bon état et parfaitement établis, mais les ressorts avaient perdu toute élasticité. L'horloger essaya vainement de les remplacer: les roues demeurèrent immobiles. Ces dérangements inexplicables firent un tort immense à maître Zacharius. Ses magnifiques inventions avaient laissé maintes fois planer sur lui des soupçons de sorcellerie, qui reprirent dès lors consistance. Le bruit en parvint jusqu'à Gérande, et elle trembla souvent pour son père, lorsque des regards malintentionnés se fixaient sur lui.

Cependant, le lendemain de cette nuit d'angoisses, maître Zacharius parut se remettre au travail avec quelque confiance. Le soleil du matin lui rendit quelque courage. Aubert ne tarda pas à le rejoindre à son atelier et en reçut un bonjour plein d'affabilité.

«Je vais mieux, dit le vieil horloger. Je ne sais quels étranges maux de tête m'obsédaient hier, mais le soleil a chassé tout cela avec les nuages de la nuit.

—Ma foi! maître, répondit Aubert, je n'aime la nuit ni pour vous, ni pour moi!

—Et tu as raison, Aubert! Si tu deviens jamais un homme supérieur, tu comprendras que le jour t'est nécessaire comme la nourriture! Un savant de grand mérite se doit aux hommages du reste des hommes.

—Maître, voilà le péché d'orgueil qui vous reprend.

—De l'orgueil, Aubert! Détruis mon passé, anéantis mon présent, dissipe mon avenir, et alors il me sera permis de vivre dans l'obscurité! Pauvre garçon, qui ne comprend pas les sublimes choses auxquelles mon art se rattache tout entier! N'es-tu donc qu'un outil entre mes mains?

—Cependant, maître Zacharius, reprit Aubert, j'ai plus d'une fois mérité vos compliments pour la manière dont j'ajustais les pièces les plus délicates de vos montres et de vos horloges!

—Sans aucun doute, Aubert, répondit maître Zacharius, tu es un bon ouvrier que j'aime; mais, quand tu travailles, tu ne crois avoir entre tes doigts que du cuivre, de l'or, de l'argent, et tu ne sens pas ces métaux, que mon génie anime, palpiter comme une chair vivante! Aussi, tu ne mourrais pas, toi, de la mort de tes oeuvres!»

Maître Zacharius demeura silencieux après ces paroles; mais Aubert chercha à reprendre la conversation.

«Par ma foi! maître, dit-il, j'aime à vous voir travaillant ainsi sans relâche! Vous serez prêt pour la fête de notre corporation, car je vois que le travail de cette montre de cristal avance rapidement.

—Sans doute, Aubert, s'écria le vieil horloger, et ce ne sera pas un mince honneur pour moi que d'avoir pu tailler et couper cette matière qui a la dureté du diamant! Ah! Louis Berghem a bien fait de perfectionner l'art des diamantaires, qui m'a permis de polir et percer les pierres les plus dures!»

Maître Zacharius tenait en ce moment de petites pièces d'horlogerie en cristal taillé et d'un travail exquis. Les rouages, les pivots, le boîtier de cette montre étaient de la même matière, et, dans cette oeuvre de la plus grande difficulté, il avait déployé un talent inimaginable.

«N'est-ce pas, reprit-il, tandis que ses joues s'empourpraient, qu'il sera beau de voir palpiter cette montre à travers son enveloppe transparente, et de pouvoir compter les battements de son coeur!

—Je gage, maître, répondit le jeune ouvrier, qu'elle ne variera pas d'une seconde par an!

—Et tu gageras à coup sûr! Est-ce que je n'ai pas mis là le plus pur de moi-même? Est-ce que mon coeur varie, lui?»

Aubert n'osa pas lever les yeux sur son maître.

«Parle-moi franchement, reprit mélancoliquement le vieillard. Ne m'as-tu jamais pris pour un fou? Ne me crois-tu pas livré parfois à de désastreuses folies? Oui, n'est-ce pas! Dans les yeux de ma fille et dans les tiens, j'ai lu souvent ma condamnation.—Oh! s'écria-t-il avec douleur, n'être pas même compris des êtres que l'on aime le plus au monde! Mais à toi, Aubert, je te prouverai victorieusement que j'ai raison! Ne secoue pas la tête, car tu seras stupéfié! Le jour où tu sauras m'écouter et me comprendre, tu verras que j'ai découvert les secrets de l'existence, les secrets de l'union mystérieuse de l'âme et du corps!»

En parlant ainsi, maître Zacharius se montrait superbe de fierté. Ses yeux brillaient d'un feu surnaturel, et l'orgueil lui courait à pleines veines. Et, en vérité, si jamais vanité eût pu être légitime, c'eût bien été celle de maître Zacharius!

En effet, l'horlogerie, jusqu'à lui, était presque demeurée dans l'enfance de l'art. Depuis le jour où Platon, quatre cents ans avant l'ère chrétienne, inventa l'horloge nocturne, sorte de clepsydre qui indiquait les heures de la nuit par le son et le jeu d'une flûte, la science resta presque stationnaire. Les maîtres travaillèrent plutôt l'art que la mécanique, et ce fut l'époque des belles horloges en fer, en cuivre, en bois, en argent, qui étaient finement sculptées, comme une aiguière de Cellini. On avait un chef-d'oeuvre de ciselure, qui mesurait le temps d'une façon fort imparfaite, mais on avait un chef-d'oeuvre. Quand l'imagination de l'artiste ne se tourna plus du côté de la perfection plastique, elle s'ingénia à créer ces horloges à personnages mouvants, à sonneries mélodiques, et dont la mise en scène était réglée d'une façon fort divertissante. Au surplus, qui s'inquiétait, à cette époque, de régulariser la marche du temps? Les délais de droit n'étaient pas inventés; les sciences physiques et astronomiques n'établissaient pas leurs calculs sur des mesures scrupuleusement exactes; il n'y avait ni établissements fermant à heure fixe, ni convois partant à la seconde. Le soir, on sonnait le couvre-feu, et la nuit, on criait les heures au milieu du silence. Certes, on vivait moins de temps, si l'existence se mesure à la quantité des affaires faites, mais on vivait mieux. L'esprit s'enrichissait de ces nobles sentiments nés de la contemplation des chefs-d'oeuvre, et l'art ne se faisait pas à la course. On bâtissait une église en deux siècles; un peintre ne faisait que quelques tableaux en sa vie; un poëte ne composait qu'une oeuvre éminente, mais c'étaient autant de chefs-d'oeuvre que les siècles se chargeaient d'apprécier.

Lorsque les sciences exactes firent enfin des progrès, l'horlogerie suivit leur essor, bien qu'elle fût toujours arrêtée par une insurmontable difficulté: la mesure régulière et continue du temps.

Or, ce fut au milieu de cette stagnation que maître Zacharius inventa l'échappement, qui lui permit d'obtenir une régularité mathématique, en soumettant le mouvement du pendule à une force constante. Cette invention avait tourné la tête du vieil horloger. L'orgueil, montant dans son coeur, comme le mercure dans le thermomètre, avait atteint la température des folies transcendantes. Par analogie, il s'était laissé aller à des conséquences matérialistes, et, en fabriquant ses montres, il s'imaginait avoir surpris les secrets de l'union de l'âme au corps.

Aussi, ce jour-là, voyant qu'Aubert l'écoutait avec attention, il lui dit d'un ton simple et convaincu:

«Sais-tu ce qu'est la vie, mon enfant? As-tu compris l'action de ces ressorts qui produisent l'existence? As-tu regardé dans toi-même? Non, et pourtant, avec les yeux de la science, tu aurais vu le rapport intime qui existe entre l'oeuvre de Dieu et la mienne, car c'est sur sa créature que j'ai copié la combinaison des rouages de mes horloges.

—Maître, reprit vivement Aubert, pouvez-vous comparer une machine de cuivre et d'acier à ce souffle de Dieu nommé l'âme, qui anime les corps, comme la brise communique le mouvement aux fleurs? Peut-il exister des roues imperceptibles qui fassent mouvoir nos jambes et nos bras? Quelles pièces seraient si bien ajustées qu'elles engendrassent les pensées en nous?

—Là n'est pas la question, répondit doucement maître Zacharius, mais avec l'entêtement de l'aveugle qui marche à l'abîme. Pour me comprendre, rappelle-toi le but de l'échappement que j'ai inventé. Quand j'ai vu l'irrégularité de la marche d'une horloge, j'ai compris que le mouvement renfermé en elle ne suffisait pas et qu'il fallait le soumettre à la régularité d'une autre force indépendante. J'ai donc pensé que le balancier pourrait me rendre ce service, si j'arrivais à régulariser ses oscillations! Or, ne fut-ce pas une idée sublime que celle qui me vint de lui faire rendre sa force perdue par ce mouvement même de l'horloge, qu'il était chargé de réglementer?»

Aubert fit un signe d'assentiment.

«Maintenant, Aubert, continua le vieil horloger en s'animant, jette un regard sur toi-même! Ne comprends-tu donc pas qu'il y a deux forces distinctes en nous: celle de l'âme et celle du corps, c'est-à-dire un mouvement et un régulateur? L'âme est le principe de la vie: donc c'est le mouvement. Qu'il soit produit par un poids, par un ressort ou par une influence immatérielle, il n'en est pas moins au coeur. Mais, sans le corps, ce mouvement serait inégal, irrégulier, impossible! Aussi le corps vient-il régler l'âme, et, comme le balancier, est-il soumis à des oscillations régulières. Et ceci est tellement vrai, que l'on se porte mal lorsque le boire, le manger, le sommeil, en un mot les fonctions du corps ne sont pas convenablement réglées! Ainsi que dans mes montres, l'âme rend au corps la force perdue par ses oscillations. Eh bien! qui produit donc cette union intime du corps et de l'âme, sinon un échappement merveilleux, par lequel les rouages de l'un viennent s'engrener dans les rouages de l'autre? Or, voilà ce que j'ai deviné, appliqué, et il n'y a plus de secrets pour moi dans cette vie, qui n'est, après tout, qu'une ingénieuse mécanique!»

Maître Zacharius était sublime à voir dans cette hallucination, qui le transportait jusqu'aux derniers mystères de l'infini. Mais sa fille Gérande, arrêtée sur le seuil de la porte, avait tout entendu. Elle se précipita dans les bras de son père, qui la pressa convulsivement sur son sein.

«Qu'as-tu, ma fille? lui demanda maître Zacharius.

—Si je n'avais qu'un ressort ici, dit-elle en mettant la main sur son coeur, je ne vous aimerais pas tant, mon père!»

Maître Zacharius regarda fixement sa fille et ne répondit pas.

Soudain, il poussa un cri, porta vivement la main à son coeur et tomba défaillant sur son vieux fauteuil de cuir.

«Mon père! qu'avez-vous?

—Du secours! s'écria Aubert. Scholastique!»

Mais Scholastique n'accourut pas aussitôt. On avait heurté le marteau de la porte d'entrée. Elle était allée ouvrir, et quand elle revint à l'atelier, avant qu'elle eût ouvert la bouche, le vieil horloger, ayant repris ses sens, lui disait:

«Je devine, ma vieille Scholastique, que tu m'apportes encore une de ces montres maudites qui s'est arrêtée!

—Jésus! C'est pourtant la vérité, répondit Scholastique, en remettant une montre à Aubert.

—Mon coeur ne peut pas se tromper!» dit le vieillard avec un soupir.

Cependant, Aubert avait remonté la montre avec le plus grand soin, mais elle ne marchait plus.

III

UNE VISITE ÉTRANGE

La pauvre Gérande aurait vu sa vie s'éteindre avec celle de son père, sans la pensée d'Aubert qui la rattachait au monde.

Le vieil horloger s'en allait peu à peu. Ses facultés tendaient évidemment à s'amoindrir en se concentrant sur une pensée unique. Par une funeste association d'idées, il ramenait tout à sa monomanie, et la vie terrestre semblait s'être retirée de lui pour faire place à cette existence extra-naturelle des puissances intermédiaires. Aussi, quelques rivaux malintentionnés ravivèrent-ils les bruits diaboliques qui avaient été répandus sur les travaux de maître Zacharius.

La constatation des dérangements inexplicables qu'éprouvaient ses montres fit un effet prodigieux parmi les maîtres horlogers de Genève. Que signifiait cette soudaine inertie de leurs rouages, et pourquoi ces bizarres rapports qu'elles paraissaient avoir avec la vie de Zacharius? C'étaient là de ces mystères que l'on n'envisage jamais sans une secrète terreur. Dans les diverses classes de la ville, depuis l'apprenti jusqu'au seigneur qui se servaient des montres du vieil horloger, il ne fut personne qui ne pût juger par lui-même de la singularité du fait. On voulut, mais en vain, pénétrer jusqu'à maître Zacharius. Celui-ci tomba fort malade,—ce qui permit à sa fille de le soustraire à ces visites incessantes, qui dégénéraient en reproches et en récriminations.

Les médecines et les médecins furent impuissants vis-à-vis de ce dépérissement organique, dont la cause échappait. Il semblait parfois que le coeur du vieillard cessât de battre, et puis ses battements reprenaient avec une inquiétante irrégularité.

La coutume existait, dès lors, de soumettre les oeuvres des maîtres à l'appréciation du populaire. Les chefs des différentes maîtrises cherchaient à se distinguer par la nouveauté ou la perfection de leurs ouvrages, et ce fut parmi eux que l'état de maître Zacharius rencontra la plus bruyante pitié, mais une pitié intéressée. Ses rivaux le plaignaient d'autant plus volontiers qu'ils le redoutaient moins. Ils se souvenaient toujours des succès du vieil horloger, quand il exposait ces magnifiques horloges à sujets mouvants, ces montres à sonnerie, qui faisaient l'admiration générale et atteignaient de si hauts prix dans les villes de France, de Suisse et d'Allemagne.

Cependant, grâce aux soins constants de Gérande et d'Aubert, la santé de maître Zacharius parut se raffermir un peu, et au milieu de cette quiétude que lui laissa sa convalescence, il parvint à se détacher des pensées qui l'absorbaient. Dès qu'il put marcher, sa fille l'entraîna hors de sa maison, où les pratiques mécontentes affluaient sans cesse. Aubert, lui, demeurait à l'atelier, montant et remontant inutilement ces montres rebelles, et le pauvre garçon, n'y comprenant rien, se prenait quelquefois la tête à deux mains, avec la crainte de devenir fou comme son maître.

Gérande dirigeait alors les pas de son père vers les plus riantes promenades de la ville. Tantôt, soutenant le bras de maître Zacharius, elle prenait par Saint-Antoine, d'où la vue s'étend sur le coteau de Cologny et sur le lac. Quelquefois, par les belles matinées, on pouvait apercevoir les pics gigantesques du mont Buet se dresser à l'horizon. Gérande nommait par leur nom tous ces lieux presque oubliés de son père, dont la mémoire semblait déroutée, et celui-ci éprouvait un plaisir d'enfant à apprendre toutes ces choses, dont le souvenir s'était égaré dans sa tête. Maître Zacharius s'appuyait sur sa fille, et ces deux chevelures, blanche et blonde, se confondaient dans le même rayon de soleil.

Il arriva aussi que le vieil horloger s'aperçut enfin qu'il n'était pas seul en ce monde. En voyant sa fille jeune et belle, lui vieux et brisé, il songea qu'après sa mort elle resterait seule, sans appui, et il regarda autour de lui et autour d'elle. Bien des jeunes ouvriers de Genève avaient déjà courtisé Gérande; mais aucun n'avait eu accès dans la retraite impénétrable où vivait la famille de l'horloger. Il fut donc tout naturel que, pendant cette éclaircie de son cerveau, le choix du vieillard s'arrêtât sur Aubert Thün. Une fois lancé sur cette pensée, il remarqua que ces deux jeunes gens avaient été élevés dans les mêmes idées et les mêmes croyances, et les oscillations de leur coeur lui parurent «isochrones», comme il le dit un jour à Scholastique.

La vieille servante, littéralement enchantée du mot, bien qu'elle ne le comprît pas, jura par sa sainte patronne que la ville entière le saurait avant un quart d'heure. Maître Zacharius eut grand'peine à la calmer, et obtint d'elle enfin de garder sur cette communication un silence qu'elle ne tint jamais.

Si bien qu'à l'insu de Gérande et d'Aubert, on causait déjà dans tout Genève de leur union prochaine. Mais il advint aussi que, pendant ces conversations, on entendait souvent un ricanement singulier et une voix qui disait:

«Gérande n'épousera pas Aubert.»

Si les causeurs se retournaient, ils se trouvaient en face d'un petit vieillard qu'ils ne connaissaient pas.

Quel âge avait cet être singulier? Personne n'eût pu le dire! On devinait qu'il devait exister depuis un grand nombre de siècles, mais voilà tout. Sa grosse tête écrasée reposait sur des épaules dont la largeur égalait la hauteur de son corps, qui ne dépassait pas trois pieds. Ce personnage eût fait bonne figure sur un support de pendule, car le cadran se fût naturellement placé sur sa face, et le balancier aurait oscillé à son aise dans sa poitrine. On eût volontiers pris son nez pour le style d'un cadran solaire, tant il était mince et aigu; ses dents, écartées et à surface épicycloïque, ressemblaient aux engrenages d'une roue et grinçaient entre ses lèvres; sa voix avait le son métallique d'un timbre, et l'on pouvait entendre son coeur battre comme le tic-tac d'une horloge. Ce petit homme, dont les bras se mouvaient à la manière des aiguilles sur un cadran, marchait par saccades, sans se retourner jamais. Le suivait-on, on trouvait qu'il faisait une lieue par heure et que sa marche était à peu près circulaire.

Il y avait peu de temps que cet être bizarre errait ainsi, ou plutôt tournait par la ville; mais on avait pu observer déjà que chaque jour, au moment où le soleil passait au méridien, il s'arrêtait devant la cathédrale de Saint Pierre, et qu'il reprenait sa route après les douze coups de midi. Hormis ce moment précis, il semblait surgir dans toutes les conversations où l'on s'occupait du vieil horloger, et l'on se demandait, avec effroi, quel rapport pouvait exister entre lui et maître Zacharius. Au surplus, on remarquait qu'il ne perdait pas de vue le vieillard et sa fille pendant leurs promenades.

Un jour, sur la Treille, Gérande aperçut ce monstre qui la regardait en riant. Elle se pressa contre son père, avec un mouvement d'effroi.

«Qu'as-tu, ma Gérande? demanda maître Zacharius.

—Je ne sais, répondit la jeune fille.

—Je te trouve changée, mon enfant! dit le vieil horloger. Voilà donc que tu vas tomber malade à ton tour? Eh bien! ajouta-t-il avec un triste sourire, il faudra que je te soigne, et je te soignerai bien.

—Oh! mon père, ce ne sera rien. J'ai froid, et j'imagine que c'est....

—Eh quoi, Gérande?

—La présence de cet homme qui nous suit sans cesse,» répondit-elle à voix basse.

Maître Zacharius se retourna vers le petit vieillard.

«Ma foi, il va bien, dit-il avec un air de satisfaction, car il est justement quatre heures. Ne crains rien, ma fille, ce n'est pas un homme, c'est une horloge!»

Gérande regarda son père avec terreur. Comment maître Zacharius avait-il pu lire l'heure sur le visage de cette étrange créature?

«À propos, continua le vieil horloger, sans plus s'occuper de cet incident, je ne vois pas Aubert depuis quelques jours.

—Il ne nous quitte cependant pas, mon père, répondit Gérande, dont les pensées prirent une teinte plus douce.

—Que fait-il, alors?

—Il travaille, mon père.

—Ah! s'écria le vieillard, il travaille à réparer mes montres, n'est-il pas vrai? Mais il n'y parviendra jamais, car ce n'est pas une réparation qu'il leur faut, mais bien une résurrection!»

Gérande demeura silencieuse.

«Il faudra que je sache, ajouta le vieillard, si l'on n'a pas encore rapporté quelques-unes de ces montres damnées sur lesquelles le diable a jeté une épidémie!»

Puis, après ces mots, maître Zacharius tomba dans un mutisme absolu jusqu'au moment où il heurta la porte de son logis, et pour la première fois depuis sa convalescence, tandis que Gérande regagnait tristement sa chambre, il descendit à son atelier.

Au moment où il en franchissait la porte, une des nombreuses horloges suspendues au mur vint à sonner cinq heures. Ordinairement, les différentes sonneries de ces appareils, admirablement réglées, se faisaient entendre simultanément, et leur concordance réjouissait le coeur du vieillard; mais, ce jour-là, tous ces timbres tintèrent les uns après les autres, si bien que pendant un quart d'heure l'oreille fut assourdie par leurs bruits successifs. Maître Zacharius souffrait affreusement; il ne pouvait tenir en place, il allait de l'une à l'autre de ces horloges, et il leur battait la mesure, comme un chef d'orchestre qui ne serait plus maître de ses musiciens.

Lorsque le dernier son s'éteignit, la porte de l'atelier s'ouvrit, et maître Zacharius frissonna de la tête aux pieds en voyant devant lui le petit vieillard, qui le regarda fixement et lui dit:

«Maître, ne puis-je m'entretenir quelques instants avec vous?

—Qui êtes-vous? demanda brusquement l'horloger.

—Un confrère. C'est moi qui suis chargé de régler le soleil.

—Ah! c'est vous qui réglez le soleil? répliqua vivement maître Zacharius sans sourciller. Eh bien! je ne vous en complimente guère! Votre soleil va mal, et, pour nous trouver d'accord avec lui, nous sommes obligés tantôt d'avancer nos horloges et tantôt de les retarder!

—Et par le pied fourchu du diable! s'écria le monstrueux personnage, vous avez raison, mon maître! Mon soleil ne marque pas toujours midi au même moment que vos horloges; mais, un jour, on saura que cela vient de l'inégalité du mouvement de translation de la terre, et l'on inventera un midi moyen qui réglera cette irrégularité!

—Vivrai-je encore à cette époque? demanda le vieil horloger, dont les yeux s'animèrent.

—Sans doute, répliqua le petit vieillard en riant. Est-ce que vous pouvez croire que vous mourrez jamais?

—Hélas! je suis pourtant bien malade!

—Au fait, causons de cela. Par Belzébuth! cela nous mènera à ce dont je veux vous parler.»

Et ce disant, cet être bizarre sauta sans façon sur le vieux fauteuil de cuir et ramena ses jambes l'une sous l'autre, à la façon de ces os décharnés que les peintres de tentures funéraires croisent sous les têtes de mort. Puis, il reprit d'un ton ironique:

«Voyons, ça, maître Zacharius, que se passe-t-il donc dans cette bonne ville de Genève? On dit que votre santé s'altère, que vos montres ont besoin de médecins!

—Ah! vous croyez, vous, qu'il y a un rapport intime entre leur existence et la mienne! s'écria maître Zacharius.

—Moi, j'imagine que ces montres ont des défauts, des vices même. Si ces gaillardes-là n'ont pas une conduite fort régulière, il est juste qu'elles portent la peine de leur dérèglement. Il m'est avis qu'elles auraient besoin de se ranger un peu!

—Qu'appelez-vous des défauts? fit maître Zacharius, rougissant du ton sarcastique avec lequel ces paroles avaient été prononcées. Est-ce qu'elles n'ont pas le droit d'être fières de leur origine?

—Pas trop, pas trop! répondit le petit vieillard. Elles portent un nom célèbre, et sur leur cadran est gravée une signature illustre, c'est vrai, et elles ont le privilège exclusif de s'introduire parmi les plus nobles familles; mais, depuis quelque temps, elles se dérangent, et vous n'y pouvez rien, maître Zacharius, et le plus inhabile des apprentis de Genève vous en remontrerait!

—À moi, à moi, maître Zacharius! s'écria le vieillard avec un terrible mouvement d'orgueil.

—À vous, maître Zacharius, qui ne pouvez rendre la vie à vos montres!

—Mais c'est que j'ai la fièvre et qu'elles l'ont aussi! répondit le vieil horloger, tandis qu'une sueur froide lui courait par tous les membres.

—Eh bien! elles mourront avec vous, puisque vous êtes si empêché de redonner un peu d'élasticité à leurs ressorts!

—Mourir! Non pas, vous l'avez dit! Je ne peux pas mourir, moi, le premier horloger du monde, moi qui, au moyen de ces pièces et de ces rouages divers, ai su régler le mouvement avec une précision absolue! N'ai-je donc pas assujetti le temps à des lois exactes, et ne puis-je en disposer en souverain? Avant qu'un sublime génie vînt disposer régulièrement ces heures égarées, dans quel vague immense était plongée la destinée humaine? À quel moment certain pouvaient se rapporter les actes de la vie? Mais vous, homme ou diable, qui que vous soyez, vous n'avez donc jamais songé à la magnificence de mon art, qui appelle toutes les sciences à son aide? Non! non! moi, maître Zacharius, je ne peux pas mourir, car, puisque j'ai réglé le temps, le temps finirait avec moi! Il retournerait à cet infini dont mon génie a su l'arracher, et il se perdrait irréparablement dans le gouffre du néant! Non, je ne puis pas plus mourir que le Créateur de cet univers soumis à ses lois! Je suis devenu son égal, et j'ai partagé sa puissance! Maître Zacharius a créé le temps, si Dieu a créé l'éternité.»

Le vieil horloger ressemblait alors à l'ange déchu, se redressant contre le Créateur. Le petit vieillard le caressait du regard, et semblait lui souffler tout cet emportement impie.

«Bien dit, maître! répliqua-t-il. Belzébuth avait moins de droits que vous de se comparer à Dieu! Il ne faut pas que votre gloire périsse! Aussi, votre serviteur veut-il vous donner le moyen de dompter ces montres rebelles.

—Quel est-il? quel est-il? s'écria maître Zacharius.

—Vous le saurez le lendemain du jour où vous m'aurez accordé la main de votre fille.

—Ma Gérande?

—Elle-même!

—Le coeur de ma fille n'est pas libre, répondit maître Zacharius à cette demande, qui ne parut ni le choquer ni l'étonner.

—Bah!... Ce n'est pas la moins belle de vos horloges ... mais elle finira par s'arrêter aussi....

—Ma fille, ma Gérande!... Non!...

—Eh bien! retournez à vos montres, maître Zacharius! Montez et démontez-les! Préparez le mariage de votre fille et de votre ouvrier! Trempez des ressorts faits de votre meilleur acier! Bénissez Aubert et la belle Gérande, mais souvenez-vous que vos montres ne marcheront jamais et que Gérande n'épousera pas Aubert!»

Et là dessus, le petit vieillard sortit, mais pas si vite que maître Zacharius ne pût entendre sonner six heures dans sa poitrine.

IV

L'ÉGLISE DE SAINT-PIERRE

Cependant l'esprit et le corps de maître Zacharius s'affaiblissaient de plus en plus. Seulement une surexcitation extraordinaire le ramena plus violemment que jamais à ses travaux d'horlogerie, dont sa fille ne parvint plus à le distraire.

Son orgueil s'était encore rehaussé depuis cette crise à laquelle son visiteur étrange l'avait traîtreusement poussé, et il résolut de dominer, à force de génie, l'influence maudite qui s'appesantissait sur son oeuvre et sur lui. Il visita d'abord les différentes horloges de la ville, confiées à ses soins. Il s'assura, avec une scrupuleuse attention, que les rouages en étaient bons, les pivots solides, les contre-poids exactement équilibrés. Il n'y eut pas jusqu'aux cloches des sonneries qu'il n'auscultât avec le recueillement d'un médecin interrogeant la poitrine d'un malade. Rien n'indiquait donc que ces horloges fussent à la veille d'être frappées d'inertie.

Gérande et Aubert accompagnaient souvent le vieil horloger dans ces visites. Celui-ci aurait dû prendre plaisir à les voir empressés à le suivre, et certes il n'eût pas été si préoccupé de sa fin prochaine, s'il eût songé que son existence devait se continuer par celle de ces êtres chéris, s'il eût compris que dans les enfants il reste toujours quelque chose de la vie d'un père!

Le vieil horloger, rentré chez lui, reprenait ses travaux avec une fiévreuse assiduité. Bien que persuadé de ne pas réussir, il lui semblait pourtant impossible que cela fût, et il montait et démontait sans cesse les montres que l'on rapportait à son atelier.

Aubert, de son côté, s'ingéniait en vain à découvrir les causes de ce mal.

«Maître, disait-il, cela ne peut, cependant, venir que de l'usure des pivots et des engrenages!

—Tu prends donc plaisir à me tuer à petit feu? lui répondait violemment maître Zacharius. Est-ce que ces montres sont l'oeuvre d'un enfant? Est-ce que, de crainte de me frapper sur les doigts, j'ai enlevé au tour la surface de ces pièces de cuivre? Est-ce que, pour obtenir une plus grande dureté, je ne les ai pas forgées moi-même? Est-ce que ces ressorts ne sont pas trempés avec une rare perfection? Est-ce que l'on peut employer des huiles plus fines pour les imprégner? Tu conviens toi-même que c'est impossible, et tu avoues enfin que le diable s'en mêle!»

Et puis, du matin au soir, les pratiques mécontentes affluaient de plus belle à la maison, et elles parvenaient jusqu'au vieil horloger, qui ne savait auquel entendre.

«Cette montre retarde sans que je puisse parvenir à la régler! disait l'un.

—Celle-ci, reprenait un autre, y met un entêtement véritable, et elle s'est arrêtée, ni plus ni moins que le soleil de Josué!

—S'il est vrai que votre santé, répétaient la plupart des mécontents, influe sur la santé de vos horloges, maître Zacharius, guérissez-vous au plus tôt!»

Le vieillard regardait tous ces gens-là avec des yeux hagards, et ne répondait que par des hochements de tête ou de tristes paroles:

«Attendez aux premiers beaux jours, mes amis! C'est la saison où l'existence se ravive dans les corps fatigués! Il faut que le soleil vienne nous réchauffer tous!

—Le bel avantage, si nos montres doivent être malades pendant l'hiver! lui dit un des plus enragés. Savez-vous, maître Zacharius, que votre nom est inscrit en toutes lettres sur leur cadran! Par la Vierge! vous ne faites pas honneur à votre signature!»

Enfin, il arriva que le vieillard, honteux de ces reproches, retira quelques pièces d'or de son vieux, bahut et commença à racheter les montres endommagées. À cette nouvelle, les chalands accoururent en foule, et l'argent de ce pauvre logis s'écoula bien vite; mais la probité du marchand demeura à couvert. Gérande applaudit de grand coeur à cette délicatesse, qui la menait droit à la ruine, et bientôt Aubert dut offrir ses économies à maître Zacharius.

«Que deviendra ma fille?» disait le vieil horloger, se raccrochant parfois, dans ce naufrage, aux sentiments de l'amour paternel.

Aubert n'osa pas répondre qu'il se sentait bon courage pour l'avenir et grand dévouement pour Gérande. Maître Zacharius, ce jour-là, l'eût appelé son gendre et démenti ces funestes paroles qui bourdonnaient encore à son oreille:

«Gérande n'épousera pas Aubert.»

Néanmoins, avec ce système, le vieil horloger en arriva à se dépouiller entièrement. Ses vieux vases antiques s'en allèrent à des mains étrangères; il se défit de magnifiques panneaux de chêne finement sculpté qui revêtaient les murailles de son logis; quelques naïves peintures des premiers peintres flamands ne réjouirent bientôt plus les regards de sa fille, et tout, jusqu'aux précieux outils que son génie avait inventés, fut vendu pour indemniser les réclamants.

Scholastique, seule, ne voulait pas entendre raison sur un semblable sujet; mais ses efforts ne pouvaient empêcher les importuns d'arriver jusqu'à son maître et de ressortir bientôt avec quelque objet précieux. Alors son caquetage retentissait dans toutes les rues du quartier, où on la connaissait de longue date. Elle s'employait à démentir les bruits de sorcellerie et de magie qui couraient sur le compte de Zacharius; mais comme, au fond, elle était persuadée de leur vérité, elle disait et redisait force prières pour racheter ses pieux mensonges.

On avait fort bien remarqué que, depuis longtemps, l'horloger avait abandonné l'accomplissement de ses devoirs religieux. Autrefois, il accompagnait Gérande aux offices et semblait trouver dans la prière ce charme intellectuel dont elle imprègne les belles intelligences, puisqu'elle est le plus sublime exercice de l'imagination. Cet éloignement volontaire du vieillard pour les pratiques saintes, joint aux pratiques secrètes de sa vie, avait, en quelque sorte, légitimé les accusations de sortilège portées contre ses travaux. Aussi, dans le double but de ramener son père à Dieu et au monde, Gérande résolut d'appeler la religion à son secours. Elle pensa que le catholicisme pourrait rendre quelque vitalité à cette âme mourante; mais ces dogmes de foi et d'humilité avaient à combattre dans l'âme de maître Zacharius un insurmontable orgueil, et ils se heurtaient contre cette fierté de la science qui rapporte tout à elle, sans remonter à la source infinie d'où découlent les premiers principes.

Ce fut dans ces circonstances que la jeune fille entreprit la conversion de son père, et son influence fut si efficace, que le vieil horloger promit d'assister le dimanche suivant à la grand'messe de la cathédrale. Gérande éprouva un moment d'extase, comme si le ciel se fût entrouvert à ses yeux. La vieille Scholastique ne put contenir sa joie et eut enfin des arguments sans réplique contre les mauvaises langues qui accusaient son maître d'impiété. Elle en parla à ses voisines, à ses amies, à ses ennemies, à qui la connaissait comme à qui ne la connaissait point.

«Ma foi, nous ne croyons guère à ce que vous nous annoncez, dame Scholastique, lui répondit-on. Maître Zacharius a toujours agi de concert avec le diable!

—Vous n'avez donc pas compté, reprenait la bonne femme, les beaux clochers où battent les horloges de mon maître? Combien de fois a-t-il fait sonner l'heure de la prière et de la messe!

—Sans doute, lui répondait-on. Mais n'a-t-il pas inventé des machines qui marchent toutes seules et qui parviennent à faire l'ouvrage d'un homme véritable?

—Est-ce que des enfants du démon, reprenait dame Scholastique en colère, auraient pu exécuter cette belle horloge de fer du château d'Andernatt, que la ville de Genève n'a pas été assez riche pour acheter? À chaque heure apparaissait une belle devise, et un chrétien qui s'y serait conformé aurait été tout droit en paradis! Est-ce donc là le travail du diable?»

Ce chef-d'oeuvre, fabriqué vingt ans auparavant, avait effectivement porté aux nues la gloire de maître Zacharius; mais, à cette occasion même, les accusations de sorcellerie avaient été générales. Au surplus, le retour du vieillard à l'église de Saint-Pierre devait réduire les méchantes langues au silence.

Maître Zacharius, sans se souvenir sans doute de cette promesse faite à sa fille, était retourné à son atelier. Après avoir vu son impuissance à rendre la vie à ses montres, il résolut de tenter s'il ne pourrait en fabriquer de nouvelles. Il abandonna tous ces corps inertes et se remit a terminer la montre de cristal qui devait être son chef-d'oeuvre; mais il eut beau faire, se servir de ses outils les plus parfaits, employer le rubis et le diamant propres à résister aux frottements, la montre lui éclata entre les mains la première fois qu'il voulut la monter!

Le vieillard cacha cet événement à tout le monde, même à sa fille; mais dès lors sa vie déclina rapidement. Ce n'étaient plus que les dernières oscillations d'un pendule qui vont en diminuant quand rien ne vient leur rendre leur mouvement primitif. Il semblait que les lois de la pesanteur, agissant directement sur le vieillard, l'entraînaient irrésistiblement dans la tombe.

Ce dimanche si ardemment désiré par Gérande arriva enfin. Le temps était beau et la température vivifiante. Les habitants de Genève s'en allaient tranquillement par les rues de la ville, avec de gais discours sur le retour du printemps. Gérande, prenant soigneusement le bras du vieillard, se dirigea du côté de Saint-Pierre, pendant que Scholastique les suivait en portant leurs livres d'heures. On les regarda passer avec curiosité. Le vieillard se laissait conduire comme un enfant, ou plutôt comme un aveugle. Ce fut presque avec un sentiment d'effroi que les fidèles de Saint-Pierre l'aperçurent franchissant le seuil de l'église, et ils affectèrent même de se retirer à son approche.

Les chants de la grand'messe retentissaient déjà. Gérande se dirigea vers son banc accoutumé et s'y agenouilla dans le recueillement le plus profond. Maître Zacharius demeura près d'elle, debout.

Les cérémonies de la messe se déroulèrent avec la solennité majestueuse de ces époques de croyance, mais le vieillard ne croyait pas. Il n'implora pas la pitié du Ciel avec les cris de douleur du *Kyrie*; avec le *Gloria in excelsis*, il ne chanta pas les magnificences des hauteurs célestes; la lecture de l'Évangile ne le tira pas de ses rêveries matérialistes, et il oublia de s'associer aux hommages catholiques du *Credo*. Cet orgueilleux vieillard demeurait immobile, insensible et muet comme une statue de pierre; et même, au moment solennel où la clochette annonça le miracle de la transsubstantiation, il ne se courba pas, et il regarda en face l'hostie divinisée que le prêtre élevait au-dessus des fidèles.

Gérande regarda son père, et d'abondantes larmes mouillèrent son missel!

À cet instant, l'horloge de Saint-Pierre sonna la demie de onze heures. Maître Zacharius se retourna avec vivacité vers ce vieux clocher qui parlait encore. Il lui sembla que le cadran intérieur le regardait fixement, que les chiffres des heures brillaient comme s'ils eussent été gravés en traits de feu, et que les aiguilles dardaient une étincelle électrique par leurs pointes aiguës.

La messe s'acheva. C'était la coutume que l'*Angelus* fût dit à l'heure de midi, et les officiants, avant de quitter le parvis, attendaient que l'heure sonnât à l'horloge du clocher. Encore quelques instants, et cette prière allait monter aux pieds de la Vierge.

Mais soudain un bruit strident se fit entendre. Maître Zacharius poussa un cri....

La grande aiguille du cadran, arrivée à midi, s'était subitement arrêtée, et midi ne sonna pas.

Gérande se précipita au secours de son père, qui était renversé sans mouvement, et que l'on transporta hors de l'église.

«C'est le coup de mort!» se dit Gérande en sanglotant.

Maître Zacharius, ramené à son logis, fut couché dans un état complet d'anéantissement. La vie n'existait plus en lui qu'à la surface de son corps, comme les derniers nuages de fumée qui errent autour d'une lampe à peine éteinte.

Lorsqu'il reprit ses sens, Aubert et Gérande étaient penchés sur lui. À ce moment suprême, l'avenir prit à ses yeux la forme du présent. Il vit sa fille, seule, sans appui.

«Mon fils, dit-il à Aubert, je te donne ma fille,» et il étendit la main vers ses deux enfants, qui furent unis ainsi à ce lit de mort.

Mais, aussitôt, maître Zacharius se souleva par un mouvement de rage. Les paroles du petit vieillard lui revinrent au cerveau.

«Je ne veux pas mourir! s'écria-t-il. Je ne peux pas mourir! Moi, maître Zacharius, je ne dois pas mourir.... Mes livres!... mes comptes!...»

Et, ce disant, il s'élança hors de son lit vers un livre où se trouvaient inscrits les noms de ses pratiques ainsi que l'objet qu'il leur avait vendu. Ce livre, il le feuilleta avec avidité, et son doigt décharné se fixa sur l'un des feuillets.

«Là! dit-il, là!... Cette vieille horloge de fer, vendue à ce Pittonaccio! C'est la seule qui ne m'ait pas encore été rapportée! Elle existe! elle marche! elle vit toujours! Ah! je la veux! je la retrouverai! je la soignerai si bien que la mort n'aura plus prise sur moi.»

Et il s'évanouit.

Aubert et Gérande s'agenouillèrent près du lit du vieillard et prièrent ensemble.

V

L'HEURE DE LA MORT

Quelques jours s'écoulèrent encore, et maître Zacharius, cet homme presque mort, se releva de son lit et revint à la vie par une surexcitation surnaturelle. Il vivait d'orgueil. Mais Gérande ne s'y trompa pas: le corps et l'âme de son père étaient à jamais perdus.

On vit alors le vieillard occupé à rassembler ses dernières ressources, sans prendre souci des siens. Il dépensait une énergie incroyable, marchant, furetant et marmottant de mystérieuses paroles.

Un matin, Gérande descendit à son atelier. Maître Zacharius n'y était pas.

Pendant toute cette journée, elle l'attendit. Maître Zacharius ne revint pas.

Gérande pleura toutes les larmes de ses yeux, mais son père ne reparut pas.

Aubert parcourut la ville et acquit la triste certitude que le vieillard l'avait quittée.

«Retrouvons mon père! s'écria Gérande, quand le jeune ouvrier lui rapporta ces douloureuses nouvelle.

—Où peut-il être?» se demanda Aubert.

Une inspiration illumina soudain son esprit. Les dernières paroles de maître Zacharius lui revinrent à la mémoire. Le vieil horloger ne vivait plus que dans cette vieille horloge de fer qu'on ne lui avait pas rendue! Maître Zacharius devait s'être mis à sa recherche.

Aubert communiqua sa pensée à Gérande.

«Voyons le livre de mon père,» lui répondit-elle.

Tous deux descendirent à l'atelier. Le livre était ouvert sur l'établi. Toutes les montres ou horloges faites par le vieil horloger, et qui lui étaient revenues par suite de leur dérangement, étaient effacées toutes, excepté une!

«Vendu au seigneur Pittonaccio une horloge en fer, à sonnerie et à personnages mouvants, déposée en son château d'Andernatt.»

C'était cette horloge «morale» dont la vieille Scholastique avait parlé avec tant d'éloges.

«Mon père est là! s'écria Gérande.

—Courons-y, répondit Aubert. Nous pouvons le sauver encore!...

—Non pas pour cette vie, murmura Gérande, mais au moins pour l'autre!

—À la grâce de Dieu, Gérande! Le château d'Andernatt est situé dans les gorges des Dents-du-Midi, à une vingtaine d'heures de Genève. Partons!»

Ce soir-là même, Aubert et Gérande, suivis de leur vieille servante, cheminaient à pied sur la route qui côtoie le lac de Genève. Ils firent cinq lieues dans la nuit, ne s'étant arrêtés ni à Bessinge, ni à Ermance, où s'élève le célèbre château des Mayor. Ils traversèrent à gué et non sans peine le torrent de la Dranse. En tous lieux ils s'inquiétaient de maître Zacharius, et eurent bientôt la certitude qu'ils marchaient sur ses traces.

Le lendemain, à la chute du jour, après avoir passé Thonon, ils atteignirent Évian, d'où l'on voit la côte de la Suisse se développer aux regards sur une étendue de douze lieues. Mais les deux fiancés n'aperçurent même pas ces sites enchanteurs. Ils allaient, poussés par une force surnaturelle. Aubert, appuyé sur un bâton noueux, offrait son bras tantôt à Gérande et tantôt à la vieille Scholastique, et il puisait dans son coeur une suprême énergie pour soutenir ses compagnes. Tous trois parlaient de leurs douleurs, de leurs espérances, et suivaient ainsi cette belle route à fleur d'eau, sur ce plateau rétréci qui relie les bords du lac aux hautes montagnes du Chalais. Bientôt ils atteignirent Bouveret, à l'endroit où le Rhône entre dans le lac de Genève.

À partir de cette ville, ils abandonnèrent le lac, et leur fatigue s'accrut au milieu de ces contrées montagneuses. Vionnaz, Chesset, Collombay, villages à demi perdus, demeurèrent bientôt derrière eux. Cependant, leurs genoux fléchirent, leurs pieds se déchirèrent à ces crêtes aiguës qui hérissaient le sol comme des broussailles de granit. Aucune trace de maître Zacharius!

Il fallait le retrouver pourtant, et les deux fiancés ne demandèrent le repos ni aux chaumières isolées, ni au château de Monthey, qui, avec ses dépendances, forma l'apanage de Marguerite de Savoie. Enfin, vers la fin de cette journée, ils atteignirent, presque mourants de fatigue, l'ermitage de Notre-Dame du Sex, qui est situé à la base de la Dent-du-Midi, à six cents pieds au-dessus du Rhône.

L'ermite les reçut tous trois à la tombée de la nuit. Ils n'auraient pu faire un pas de plus, et là ils durent prendre quelque repos.

L'ermite ne leur donna aucune nouvelle de maître Zacharius. À peine pouvait-on espérer le retrouver vivant au milieu de ces mornes solitudes. La nuit était profonde, l'ouragan sifflait dans la montagne, et les avalanches se précipitaient du sommet des rocs ébranlés.

Les deux fiancés, accroupis devant le foyer de l'ermite, lui racontèrent leur douloureuse histoire. Leurs manteaux, imprégnés de neige, séchaient dans quelque coin, et, au dehors, le chien de l'ermitage poussait de lugubres aboiements, qui se mêlaient aux hurlements de la rafale.

«L'orgueil, dit l'ermite à ses hôtes, a perdu un ange créé pour le bien. C'est la pierre d'achoppement où se heurtent les destinées de l'homme. À l'orgueil, ce principe de tous vices, on ne peut opposer aucuns raisonnements, puisque, par sa nature même, l'orgueilleux se refuse à les entendre.... Il n'y a donc plus qu'à prier pour votre père!»

Tous quatre s'agenouillaient, quand les aboiements du chien redoublèrent, et l'on heurta à la porte de l'ermitage.

«Ouvrez, au nom du diable!»

La porte céda sous de violents efforts, et il apparut un homme échevelé, hagard, à peine vêtu.

«Mon père!» s'écria Gérande.

C'était maître Zacharius.

«Où suis-je? fit-il. Dans l'éternité!... Le temps est fini ... les heures ne sonnent plus ... les aiguilles s'arrêtent!

—Mon père! reprit Gérande avec une si déchirante émotion, que le vieillard sembla revenir au monde des vivants.

—Toi ici, ma Gérande! s'écria-t-il, et toi, Aubert!... Ah! mes chers fiancés, vous venez vous marier à notre vieille église!

—Mon père, dit Gérande en le saisissant par le bras, revenez à votre maison de Genève, revenez avec nous!»

Le vieillard échappa à l'étreinte de sa fille et se jeta vers la porte, sur le seuil de laquelle la neige s'entassait à gros flocons.

«N'abandonnez pas vos enfants! s'écria Aubert.

—Pourquoi, répondit tristement le vieil horloger, pourquoi retourner à ces lieux que ma vie a déjà quittés et où une partie de moi-même est enterrée à jamais!

—Votre âme n'est pas morte! dit l'ermite d'une voix grave.

—Mon âme!... Oh! non!... ses rouages sont bons!... Je la sens battre à temps égaux ...

—Votre âme est immatérielle! Votre âme est immortelle! reprit l'ermite avec force.

—Oui ... comme ma gloire!... Mais elle est enfermée au château d'Andernatt, et je veux la revoir!»

L'ermite se signa. Scholastique était presque inanimée. Aubert soutenait Gérande dans ses bras.

«Le château d'Andernatt est habité par un damné, dit l'ermite, un damné qui ne salue pas la croix de mon ermitage!

—Mon père, n'y va pas!

—Je veux mon âme! mon âme est à moi....

—Retenez-le! retenez mon père!» s'écria Gérande.

Mais le vieillard avait franchi le seuil et s'était élancé à travers la nuit en criant:

«À moi! à moi, mon âme!...»

Gérande, Aubert et Scholastique se précipitèrent sur ses pas. Ils marchèrent par d'impraticables sentiers, sur lesquels maître Zacharius allait comme l'ouragan, poussé par une force irrésistible. La neige tourbillonnait autour d'eux et mêlait ses flocons blancs à l'écume des torrents débordés.

En passant devant la chapelle élevée en mémoire du massacre de la légion thébaine, Gérande, Aubert et Scholastique se signèrent précipitamment. Maître Zacharius ne se découvrit pas.

Enfin le village d'Évionnaz apparut au milieu de cette région inculte. Le coeur le plus endurci se fût ému à voir cette bourgade perdue au milieu de ces horribles solitudes. Le vieillard passa outre. Il se dirigea vers la gauche, et il s'enfonça au plus profond des gorges de ces Dents-du-Midi qui mordent le ciel de leurs pics aigus.

Bientôt une ruine, vieille et sombre comme les rocs de sa base, se dressa devant lui.

«C'est là! là!...» s'écria-t-il en précipitant de nouveau sa course effrénée.

Le château d'Andernatt, à cette époque, n'était déjà plus que ruines. Une tour épaisse, usée, déchiquetée, le dominait et semblait menacer de sa chute les vieux pignons qui se dressaient à ses pieds. Ces vastes amoncellements de pierres faisaient horreur à voir. On pressentait, au milieu des encombrements, quelques sombres salles eux plafonds effondrés, et d'immondes réceptacles à vipères.

Une poterne étroite et basse, s'ouvrant sur un fossé rempli de décombres, donnait accès dans le château d'Andernatt. Quels habitants avaient passé par là? on ne sait. Sans doute, quelque margrave, moitié brigand, moitié seigneur, séjourna dans cette habitation. Au margrave succédèrent les bandits ou les faux monnayeurs, qui furent pendus sur le théâtre de leur crime. Et la légende disait que, par les nuits d'hiver, Satan venait conduire ses sarabandes traditionnelles sur le penchant des gorges profondes où s'engloutissait l'ombre de ces ruines!

Maître Zacharius ne fut point épouvanté de leur aspect sinistre. Il parvint à la poterne. Personne ne l'empêcha de passer. Une grande et ténébreuse cour s'offrit à ses yeux. Personne ne l'empêcha de la traverser. Il gravit une sorte de plan incliné qui conduisait à l'un de ces longs corridors, dont les arceaux semblent écraser le jour sous leurs pesantes retombées. Personne ne s'opposa à son passage. Gérande, Aubert, Scholastique le suivaient toujours.

Maître Zacharius, comme s'il eût été guidé par une main invisible, semblait sûr de sa route et marchait d'un pas rapide. Il arriva à une vieille porte vermoulue qui s'ébranla sous ses coups, tandis que les chauves-souris traçaient d'obliques cercles autour de sa tête.

Une salle immense, mieux conservée que les autres, se présenta à lui. De hauts panneaux sculptés en revêtaient les murs, sur lesquels des larves, des goules, des tarasques semblaient s'agiter confusément. Quelques fenêtres, longues et étroites, pareilles à des meurtrières, frissonnaient sous les décharges de la tempête.

Maître Zacharius, arrivé au milieu de cette salle, poussa un cri de joie.

Sur un support en fer accolé à la muraille reposait cette horloge où résidait maintenant sa vie tout entière. Ce chef-d'oeuvre sans égal représentait une vieille église romane, avec ses contreforts en fer forgé et son lourd clocher, où se trouvait une sonnerie complète pour l'antienne du jour, l'angélus, la messe, les vêpres, complies et salut. Au-dessus de la porte de l'église, qui s'ouvrait à l'heure des offices, était creusée une rosace, au centre de laquelle se mouvaient deux aiguilles, et dont l'archivolte reproduisait les douze heures du cadran sculptées en relief. Entre la porte et la rosace, ainsi que l'avait raconté la vieille Scholastique, une maxime relative à l'emploi de chaque instant de la journée apparaissait dans un cadre de cuivre. Maître Zacharius avait autrefois réglé cette succession de devises avec une sollicitude toute chrétienne; les heures de prière, de travail, de repas, de récréation et de repos se suivaient selon la discipline religieuse, et devaient infailliblement faire le salut d'un observateur scrupuleux de leurs recommandations.

Maître Zacharius, ivre de joie, allait s'emparer de cette horloge, quand un effroyable rire éclata derrière lui.

Il se retourna, et, à la lueur d'une lampe fumeuse, il reconnut le petit vieillard de Genève.

«Vous ici!» s'écria-t-il.

Gérande eut peur. Elle se pressa contre son fiancé.

«Bonjour, maître Zacharius, fit le monstre.

—Qui êtes-vous?

—Le seigneur Pittonaccio, pour vous servir! Vous êtes venu me donner votre fille! Vous vous êtes souvenu de mes paroles: Gérande n'épousera pas Aubert.»

Le jeune ouvrier s'élança sur Pittonaccio, qui lui échappa comme une ombre.

«Arrête, Aubert! dit maître Zacharius.

—Bonne nuit, fit Pittonaccio, qui disparut.

—Mon père, s'écria Gérande, fuyons ces lieux maudits!... Mon père!...»

Maître Zacharius n'était plus là. Il poursuivait à travers les étages effondrés le fantôme de Pittonaccio. Scholastique, Aubert et Gérande demeurèrent, anéantis, dans cette salle immense. La jeune fille était tombée sur un fauteuil de pierre; la vieille servante s'agenouilla près d'elle et pria. Aubert demeura debout à veiller sur sa fiancée. De pâles lueurs serpentaient dans l'ombre, et le silence n'était interrompu que par le travail de ces petits animaux qui rongent les bois antiques et dont le bruit marque les temps de «l'horloge de la mort».

Aux premiers rayons du jour, ils s'aventurèrent tous trois par les escaliers sans fin qui circulaient sous cet amas de pierres. Pendant deux heures, ils errèrent ainsi sans rencontrer âme qui vive, et n'entendant qu'un écho lointain répondre à leurs cris. Tantôt ils se trouvaient enfouis à cent pieds sous terre, tantôt ils dominaient de haut ces montagnes sauvages.

Le hasard les ramena enfin à la vaste salle qui les avait abrités pendant cette nuit d'angoisses. Elle n'était plus vide. Maître Zacharius et Pittonaccio y causaient ensemble, l'un debout et raide comme un cadavre, l'autre accroupi sur une table de marbre.

Maître Zacharius, ayant aperçu Gérande, vint la prendre par la main et la conduisit vers Pittonaccio en disant:

«Voilà ton maître et seigneur, ma fille! Gérande, voilà ton époux!»

Gérande frissonna de la tête aux pieds.

«Jamais! s'écria Aubert, car elle est ma fiancée.

—Jamais!» répondit Gérande comme un écho plaintif.

Pittonaccio se prit à rire.

«Vous voulez donc ma mort? s'écria le vieillard. Là, dans cette horloge, la dernière qui marche encore de toutes celles qui sont sorties de mes mains, là est renfermée ma vie, et cet homme m'a dit: «Quand j'aurai ta fille, cette horloge t'appartiendra.» Et cet homme ne veut pas la remonter! Il peut la briser et me précipiter dans le néant! Ah! ma fille! tu ne m'aimerais donc plus!

—Mon père! murmura Gérande en reprenant ses sens.

—Si tu savais combien j'ai souffert loin de ce principe de mon existence! reprit le vieillard. Peut-être ne soignait-on pas cette horloge! Peut-être laissait-on ses ressorts s'user, ses rouages s'embarrasser! Mais maintenant, de mes propres mains, je vais soutenir cette santé si chère, car il ne faut pas que je meure, moi, le grand horloger de Genève! Regarde, ma fille, comme ces aiguilles avancent d'un pas sûr! Tiens, voici cinq heures qui vont sonner! Écoute bien, et regarde la belle maxime qui va s'offrir à tes yeux.»

Cinq heures tintèrent au clocher de l'horloge avec un bruit qui résonna douloureusement dans l'âme de Gérande, et ces mots parurent en lettres rouges:

Il faut manger les fruits de l'arbre de science.

Aubert et Gérande se regardèrent avec stupéfaction. Ce n'étaient plus les orthodoxes devises de l'horloger catholique! Il fallait que le souffle de Satan eût passé par là. Mais Zacharius n'y prenait plus garde, et il reprit:

«Entends-tu, ma Gérande? Je vis, je vis encore! Écoute ma respiration!... Vois le sang circuler dans mes veines!... Non! tu ne voudrais pas tuer ton père, et tu accepteras cet homme pour époux, afin que je devienne immortel et que j'atteigne enfin à la puissance de Dieu!»

À ces mots impies, la vieille Scholastique se signa, et Pittonaccio poussa un rugissement de joie.

«Et puis, Gérande, tu seras heureuse avec lui! Vois cet homme, c'est le Temps! Ton existence sera réglée avec une précision absolue! Gérande! puisque je t'ai donné la vie, rends la vie à ton père!

—Gérande, murmura Aubert, je suis ton fiancé!

—C'est mon père! répondit Gérande en s'affaissant sur elle-même.

—Elle est à toi! dit maître Zacharius. Pittonaccio, tu tiendras ta promesse!

—Voici la clef de cette horloge,» répondit l'horrible personnage.

Maître Zacharius s'empara de cette longue clef, qui ressemblait à une couleuvre déroulée, et il courut à l'horloge, qu'il se mit à monter avec une rapidité fantastique. Le grincement du ressort faisait mal aux nerfs. Le vieil horloger tournait, tournait toujours, sans que son bras s'arrêtât, et il semblait que ce mouvement de rotation fût indépendant de sa volonté. Il tourna ainsi de plus en plus vite et avec des contorsions étranges, jusqu'à ce qu'il tombât de lassitude.

«La voilà montée pour un siècle!» s'écria-t-il.

Aubert sortit de la salle comme fou. Après de longs détours, il trouva l'issue de cette demeure maudite et s'élança dans la campagne. Il revint à l'ermitage de Notre-Dame du Sex, et il parla au saint homme avec des paroles si désespérées, que celui-ci consentit à l'accompagner au château d'Andernatt.

Si, pendant ces heures d'angoisses, Gérande n'avait pas pleuré, c'est que les larmes s'étaient épuisées dans ses yeux.

Maître Zacharius n'avait pas quitté cette immense salle. Il venait à chaque minute écouter les battements réguliers de la vieille horloge.

Cependant, dix heures avaient sonné, et, à la grande épouvante de Scholastique, ces mots étaient apparus sur le cadre d'argent:

L'homme peut devenir l'égal de Dieu.

Non-seulement le vieillard n'était plus choqué par ces maximes impies, mais il les lisait avec délire et se complaisait à ces pensées d'orgueil, tandis que Pittonaccio tournait autour de lui.

L'acte de mariage devait se signer à minuit. Gérande, presque inanimée, ne voyait et n'entendait plus. Le silence n'était interrompu que par les paroles du vieillard et les ricanements de Pittonaccio.

Onze heures sonnèrent. Maître Zacharius tressaillit, et d'une voix éclatante lut ce blasphème:

L'homme doit être l'esclave de la science, et pour elle sacrifier parents et famille.

«Oui, s'écria-t-il, il n'y a que la science en ce monde!»

Les aiguilles serpentaient sur ce cadran de fer avec des sifflements de vipère, et le mouvement de l'horloge battait à coups précipités.

Maître Zacharius ne parlait plus! Il était tombé à terre, il râlait, et de sa poitrine oppressée il ne sortait que ces paroles entrecoupées:

«La vie! la science!»

Cette scène avait alors deux nouveaux témoins: l'ermite et Aubert. Maître Zacharius était couché sur le sol. Gérande, près de lui, plus morte que vive, priait....

Soudain, on entendit le bruit sec qui précède la sonnerie des heures.

Maître Zacharius se redressa.

«Minuit,» s'écria-t-il.

L'ermite étendit la main vers la vieille horloge ... et minuit ne sonna pas.

Maître Zacharius poussa alors un cri qui dut être entendu de l'enfer, lorsque ces mots apparurent:

Qui tentera de se faire l'égal de Dieu sera damné pour l'éternité!

La vieille horloge éclata avec un bruit de foudre, et le ressort, s'échappant, sauta à travers la salle avec mille contorsions fantastiques. Le vieillard se releva, courut après, cherchant en vain à le saisir et s'écriant:

«Mon âme! mon âme!»

Le ressort bondissait devant lui, d'un côté, de l'autre, sans qu'il parvînt à l'atteindre!

Enfin Pittonaccio le saisit, et, proférant un horrible blasphème, il s'engloutit sous terre.

Maître Zacharius tomba à la renverse. Il était mort.

Le corps de l'horloger fut inhumé au milieu des pics d'Andernatt. Puis, Aubert et Gérande revinrent à Genève, et, pendant les longues années que Dieu leur accorda, ils s'efforcèrent de racheter par la prière l'âme du réprouvé de la science.

UN

DRAME DANS LES AIRS

Au mois de septembre 185., j'arrivais à Francfort-sur-le-Mein. Mon passage dans les principales villes d'Allemagne avait été brillamment marqué par des ascensions aérostatiques; mais, jusqu'à ce jour, aucun habitant de la Confédération ne m'avait accompagné dans ma nacelle, et les belles expériences faites à Paris par MM. Green, Eugène Godard et Poitevin n'avaient encore pu décider les graves Allemands à tenter les routes aériennes.

Cependant, à peine se fut répandue à Francfort là nouvelle de mon ascension prochaine, que trois notables demandèrent la faveur de partir avec moi. Deux jours après, nous devions nous enlever de la place de la Comédie. Je m'occupai donc immédiatement de préparer mon ballon. Il était en soie préparée à la gutta-percha, substance inattaquable aux acides et aux gaz, qui est d'une imperméabilité absolue, et son volume—trois mille mètres cubes—lui permettait de s'élever aux plus grandes hauteurs.

Le jour de l'enlèvement était celui de la grande foire de septembre, qui attire tant de monde à Francfort. Le gaz d'éclairage, d'une qualité parfaite et d'une grande force ascensionnelle, m'avait été fourni dans des conditions excellentes, et, vers onze heures du matin, le ballon était rempli, mais seulement aux trois quarts, précaution indispensable, car, à mesure qu'on s'élève, les couches atmosphériques diminuent de densité, et le fluide, enfermé sous les bandes de l'aérostat, acquérant plus d'élasticité, en pourrait faire éclater les parois. Mes calculs m'avaient exactement fourni la quantité de gaz nécessaire pour emporter mes compagnons et moi.

Nous devions partir à midi. C'était un coup d'oeil magnifique que le spectacle de cette foule impatiente qui se pressait autour de l'enceinte réservée, inondait la place entière, se dégorgeait dans les rues environnantes, et tapissait les maisons de la place du rez-de-chaussée aux pignons d'ardoises. Les grands vents des jours passés avaient fait silence. Une chaleur accablante tombait du ciel sans nuages. Pas un souffle n'animait l'atmosphère. Par un temps pareil, on pouvait redescendre à l'endroit même qu'on avait quitté.

J'emportais trois cents livres de lest, réparties dans des sacs; la nacelle, entièrement ronde, de quatre pieds de diamètre sur trois de profondeur, était commodément installée; le filet de chanvre qui la soutenait s'étendait symétriquement sur l'hémisphère supérieur de l'aérostat; la boussole était en place, le baromètre suspendu au cercle qui réunissait les cordages de support, et l'ancre soigneusement parée. Nous pouvions partir.

Parmi les personnes qui se pressaient autour de l'enceinte, je remarquai un jeune homme à la figure pâle, aux traits agités. Sa vue me frappa. C'était un spectateur assidu de mes ascensions, que j'avais déjà rencontré dans plusieurs villes d'Allemagne. D'un air inquiet, il contemplait avidement la curieuse machine qui demeurait immobile à quelques pieds du sol, et il restait silencieux entre tous ses voisins.

Midi sonna. C'était l'instant. Mes compagnons de voyage ne paraissaient pas.

J'envoyai au domicile de chacun d'eux, et j'appris que l'un était parti pour Hambourg, l'autre pour Vienne et le troisième pour Londres. Le coeur leur avait failli au moment d'entreprendre une de ces excursions qui, grâce à l'habileté des aéronautes actuels, sont dépourvues de tout danger. Comme ils faisaient, en quelque sorte, partie du programme de la fête, la crainte les avait pris qu'on ne les obligeât à l'exécuter fidèlement, et ils avaient fui loin du théâtre à l'instant où la toile se levait. Leur courage était évidemment en raison inverse du carré de leur vitesse ... à déguerpir.

La foule, à demi déçue, témoigna beaucoup de mauvaise humeur. Je n'hésitai pas à partir seul. Afin de rétablir l'équilibre entre la pesanteur spécifique du ballon et le poids qui aurait dû être enlevé, je remplaçai mes compagnons par de nouveaux sacs de sable, et je montai dans la nacelle. Les douze hommes qui retenaient l'aérostat par douze cordes fixées au cercle équatorial les laissèrent un peu filer entre leurs doigts, et le ballon fut soulevé à quelques pieds du sol. Il n'y avait pas un souffle de vent, et l'atmosphère, d'une pesanteur de plomb, semblait infranchissable.

«Tout est-il paré?» criai-je.

Les hommes se disposèrent. Un dernier coup d'oeil m'apprit que je pouvais partir.

«Attention!»

Il se fit quelque remuement dans la foule, qui me parut envahir l'enceinte réservée.

«Lâchez tout!»

Le ballon s'éleva lentement, mais j'éprouvai une commotion qui me renversa au fond de la nacelle.

Quand je me relevai, je me trouvai face à face avec un voyageur imprévu, le jeune homme pâle.

«Monsieur, je vous salue bien! me dit-il avec le plus grand flegme.

—De quel droit...?

—Suis-je ici?... Du droit que me donne l'impossibilité où vous êtes de me renvoyer!»

J'étais abasourdi! Cet aplomb me décontenançait, et je n'avais rien à répondre.

Je regardais cet intrus, mais il ne prenait aucune garde à mon étonnement.

«Mon poids dérange votre équilibre, monsieur? dit-il. Vous permettez...»

Et, sans attendre mon assentiment, il délesta le ballon de deux sacs qu'il jeta dans l'espace.

«Monsieur, dis-je alors en prenant le seul parti possible, vous êtes venu..., bien! vous resterez ... bien!... mais à moi seul appartient la conduite de l'aérostat ...

—Monsieur, répondit-il, votre urbanité est toute française. Elle est du même pays que moi! Je vous serre moralement la main que vous me refusez. Prenez vos mesures et agissez comme bon vous semble! J'attendrai que vous ayez terminé.

—Pour...?

—Pour causer avec vous.»

Le baromètre était tombé à vingt-six pouces. Nous étions à peu près à six cents mètres de hauteur, au-dessus de la ville; mais rien ne trahissait le déplacement horizontal du ballon, car c'est la masse d'air dans laquelle il est enfermé qui marche avec lui. Une sorte de chaleur trouble baignait les objets étalés sous nos pieds et prêtait à leurs contours une indécision regrettable.

J'examinai de nouveau mon compagnon.

C'était un homme d'une trentaine d'années, simplement vêtu. La rude arête de ses traits dévoilait une énergie indomptable, et il paraissait fort musculeux. Tout entier à l'étonnement que lui procurait cette ascension silencieuse, il demeurait immobile, cherchant à distinguer les objets qui se confondaient dans un vague ensemble.

«Fâcheuse brume!» dit-il au bout de quelques instants

Je ne répondis pas.

«Vous m'en voulez! reprit-il. Bah! Je ne pouvais payer mon voyage, il fallait bien monter par surprise.

—Personne ne vous prie de descendre, monsieur!

—Eh! ne savez-vous donc pas que pareille chose est arrivée aux comtes de Laurencin et de Dampierre, lorsqu'ils s'élevèrent à Lyon, le 15 janvier 1784. Un jeune négociant, nommé Fontaine, escalada la galerie, au risque de faire chavirer la machine!... Il accomplit le voyage, et personne n'en mourut!

—Une fois à terre, nous nous expliquerons, répondis-je, piqué du ton léger avec lequel il me parlait.

—Bah! ne songeons pas au retour!

—Croyez-vous donc que je tarderai à descendre?

—Descendre! dit-il avec surprise ... Descendre!--Commençons par monter d'abord.»

Et avant que je pusse l'empocher, deux sacs de sable, avaient été jetés par-dessus la nacelle, sans même avoir été vidés!

«Monsieur! m'écriai-je avec colère.

—Je connais votre habileté, répondit posément l'inconnu, et vos belles ascensions ont fait du bruit. Mais si l'expérience est soeur de la pratique, elle est quelque peu cousine de la théorie, et j'ai fait de longues études sur l'art aérostatique. Cela m'a porté au cerveau!» ajouta-t-il tristement en tombant dans une muette contemplation.

Le ballon, après s'être élevé de nouveau, était demeuré stationnaire.

L'inconnu consulta le baromètre et dit:

«Nous voici à huit cents mètres! Les hommes ressemblent à des insectes! Voyez! Je crois que c'est de cette hauteur qu'il faut toujours les considérer, pour juger sainement de leurs proportions! La place de la Comédie est transformée en une immense fourmilière. Regardez la foule qui s'entasse sur les quais et le Zeil qui diminue. Nous sommes au-dessus de l'église du Dom. Le Mein n'est déjà plus qu'une ligne blanchâtre qui coupe la ville, et ce pont, le Mein-Brucke, semble un fil jeté entre les deux rives du fleuve.»

L'atmosphère s'était un peu refroidie.

«Il n'est rien que je ne fasse pour vous, mon hôte, me dit mon compagnon. Si vous avez froid, j'ôterai mes habits et je vous les prêterai.

—Merci! répondis-je sèchement.

—Bah! Nécessité fait loi. Donnez-moi la main, je suis votre compatriote, vous vous instruirez dans ma compagnie, et ma conversation vous dédommagera de l'ennui que je vous ai causé!»

Je m'assis, sans répondre, à l'extrémité opposée de la nacelle. Le jeune homme avait tiré de sa houppelande un volumineux cahier. C'était un travail sur l'aérostation.

«Je possède, dit-il, la plus curieuse collection de gravures et caricatures qui ont été faites à propos de nos manies aériennes. A-t-on admiré et bafoué à la fois cette précieuse découverte! Nous n'en sommes heureusement plus à l'époque où les Montgolfier cherchaient à faire des nuages factices avec de la vapeur d'eau, et à fabriquer un gaz affectant des propriétés électriques, qu'ils produisaient par la combustion de la paille mouillée et de la laine hachée.

—Voulez-vous donc diminuer le mérite des inventeurs? répondis-je, car j'avais pris mon parti de l'aventure. N'était-ce pas beau d'avoir prouvé par l'expérience la possibilité de s'élever dans les airs?

—Eh! monsieur, qui nie la gloire des premiers navigateurs aériens? Il fallait un courage immense pour s'élever au moyen de ces enveloppes si frêles, qui ne contenaient que de l'air échauffé! Mais, je vous le demande, la science aérostatique a-t-elle donc fait un grand pas depuis les ascensions de Blanchard, c'est-à-dire depuis près d'un siècle? Voyez, monsieur!»

L'inconnu tira une gravure de son recueil.

«Voici, me dit-il, le premier voyage aérien entrepris par Pilâtre des Rosiers et le marquis d'Arlandes, quatre mois après la découverte des ballons. Louis XVI refusait son consentement à cc voyage, et deux condamnés à mort devaient tenter les premiers les routes aériennes. Pilâtre des Rosiers s'indigna de cette injustice, et, à force d'intrigues, il obtient de partir. On n'avait pas encore inventé cette nacelle qui rend les manoeuvres faciles, et une galerie circulaire régnait autour de la partie inférieure et rétrécie de la montgolfière. Les deux aéronautes durent donc se tenir sans remuer chacun à l'extrémité de cette galerie, car la paille mouillée qui l'encombrait leur interdisait tout mouvement. Un réchaud avec du feu était suspendu au-dessous de l'orifice du ballon;

lorsque les voyageurs voulaient s'élever, ils jetaient de la paille sur ce brasier, au risque d'incendier la machine, et l'air plus échauffé donnait au ballon une nouvelle force ascensionnelle. Les deux hardis navigateurs partirent, le 21 novembre 1783, des jardins de la Muette, que le dauphin avait mis à leur disposition. L'aérostat s'éleva majestueusement, longea l'île des Cygnes, passa la Seine à la barrière de la Conférence, et, se dirigeant entre le dôme des Invalides et l'École militaire, il s'approcha de Saint-Sulpice. Alors les aéronautes forcèrent le feu, franchirent le boulevard et descendirent au delà de la barrière d'Enfer. En touchant le sol, le ballon s'affaissa et ensevelit quelques instants sous ses plis Pilâtre des Rosiers!

—Fâcheux présage! dis-je, intéressé par ces détails, qui me touchaient de près.

—Présage de la catastrophe qui devait, plus tard, coûter la vie à l'infortuné! répondit l'inconnu avec tristesse. Vous n'avez jamais rien éprouvé de semblable?

—Jamais

—Bah! les malheurs arrivent bien sans présage!» ajouta mon compagnon.

Et il demeura silencieux.

Cependant, nous avancions dans le sud, et déjà Francfort avait fui sous nos pieds.

«Peut-être aurons-nous de l'orage, dit le jeune homme.

—Nous descendrons auparavant, répondis-je.

—Par exemple! Il vaut mieux monter! Nous lui échapperons plus sûrement.»

Et deux nouveaux sacs de sable s'en allèrent dans l'espace.

Le ballon s'enleva avec rapidité et s'arrêta à douze cents mètres. Un froid assez vif se fit sentir, et cependant les rayons du soleil, qui tombaient sur l'enveloppe, dilataient le gaz intérieur et lui donnaient une plus grande force ascensionnelle.

«Ne craignez rien, me dit l'inconnu. Nous avons trois mille cinq cents toises d'air respirable. Au surplus, ne vous préoccupez pas de ce que je fais.»

Je voulus me lever, mais une main vigoureuse me cloua sur mon banc.

«Votre nom? demandai-je.

—Mon nom? Que vous importe?

—Je vous demande votre nom!

—Je me nomme Érostrate ou Empédocle, à votre choix.»

Cette réponse n'était rien moins que rassurante.

L'inconnu, d'ailleurs, parlait avec un sang-froid si singulier, que je me demandai, non sans inquiétude, à qui j'avais affaire.

«Monsieur, continua-t-il, on n'a rien imaginé de nouveau depuis le physicien Charles. Quatre mois après la découverte des aérostats, cet habile homme avait inventé la soupape, qui laisse échapper le gaz quand le ballon est trop plein, ou que l'on veut descendre; la nacelle, qui facilite les manoeuvres de la machine; le filet, qui contient l'enveloppe du ballon et répartit la charge sur toute sa surface; le lest, qui permet de monter et de choisir le lieu d'atterrage; l'enduit de caoutchouc, qui rend le tissu imperméable; le baromètre, qui indique la hauteur atteinte. Enfin, Charles employait l'hydrogène, qui, quatorze fois moins lourd que l'air, laisse parvenir aux couches atmosphériques les plus hautes et n'expose pas aux dangers d'une combustion aérienne. Le 1er décembre 1783, trois cent mille spectateurs s'écrasaient autour des Tuileries. Charles s'enleva, et les soldats lui présentèrent les armes. Il fit neuf lieues en l'air, conduisant son ballon avec une habileté que n'ont pas dépassée les aéronautes actuels. Le roi le dota d'une pension de deux mille livres, car alors on encourageait les inventions nouvelles!»

L'inconnu me parut alors en proie à une certaine agitation.

«Moi, monsieur, reprit-il, j'ai étudié et je me suis convaincu que les premiers aéronautes dirigeaient leurs ballons. Sans parler de Blanchard, dont les assertions peuvent être douteuses, Guyton-Morveaux, à l'aide de rames et de gouvernail, imprima à sa machine des mouvements sensibles et une direction marquée. Dernièrement, à Paris, un horloger, M. Julien, a fait à l'Hippodrome de convaincantes expériences, car, grâce à un mécanisme particulier, son appareil aérien, de forme oblongue, s'est manifestement dirigé contre le vent. M. Petin a imaginé de juxtaposer quatre ballons à hydrogène, et au moyen de voiles disposées horizontalement et repliées en partie, il espère obtenir une rupture d'équilibre qui, inclinant l'appareil, lui imprimera une marche oblique. On parle bien des moteurs destinés à surmonter la résistance des courants, l'hélice par exemple; mais l'hélice, se mouvant dans un milieu mobile, ne donnera aucun résultat. Moi, monsieur, moi j'ai découvert le seul moyen de diriger les ballons, et pas une académie n'est venue à mon secours, pas une ville n'a rempli mes listes de souscription, pas un gouvernement n'a voulu m'entendre! C'est infâme!»

L'inconnu se débattait en gesticulant, et la nacelle éprouvait de violentes oscillations. J'eus beaucoup de peine à le contenir.

Cependant, le ballon avait rencontré un courant plus rapide, et nous avancions dans le sud, à quinze cents mètres de hauteur.

«Voici Darmstadt, me dit mon compagnon, en se penchant par-dessus la nacelle. Apercevez-vous son château? Pas distinctement, n'est-ce pas! Que voulez vous? Cette chaleur d'orage fait osciller la forme des objets, et il faut un oeil habile pour reconnaître les localités!

—Vous êtes certain que c'est Darmstadt? demandai-je.

—Sans doute, et nous sommes à six lieues de Francfort.

—Alors il faut descendre!

—Descendre! Vous ne prétendez pas descendre sur les clochers, dit l'inconnu en ricanant.

—Non, mais aux environs de la ville.

—Eh bien! évitons les clochers!»

En parlant ainsi, mon compagnon saisit des sacs de lest. Je me précipitai sur lui; mais d'une main il me terrassa, et le ballon délesté atteignit deux mille mètres.

«Restez calme, dit-il, et n'oubliez pas que Brioschi, Biot, Gay-Lussac, Bixio et Barral sont allés à de plus grandes hauteurs faire leurs expériences scientifiques.

—Monsieur, il faut descendre, repris-je en essayant de le prendre par la douceur. L'orage se forme autour de nous. Il ne serait pas prudent...

—Bah! Nous monterons plus haut que lui, et nous ne le craindrons plus! s'écria mon compagnon. Quoi de plus beau que de dominer ces nuages qui écrasent la terre! N'est-ce point un honneur de naviguer ainsi sur les flots aériens? Les plus grands personnages ont voyagé comme nous. La marquise et la comtesse de Montalembert, la comtesse de Podenas, Mlle La Garde, le marquis de Montalembert sont partis du faubourg Saint-Antoine pour ces rivages inconnus, et le duc de Chartres a déployé beaucoup d'adresse et de présence d'esprit dans son ascension du 15 juillet 1781. À Lyon, les comtes de Laurencin et de Dampierre; à Nantes, M. de Luynes; à Bordeaux, d'Arbelet des Granges; en Italie, le chevalier Andréani; de nos jours, le duc de Brunswick ont laissé dans les airs la trace de leur gloire. Pour égaler ces grands personnages, il faut aller plus haut qu'eux dans les profondeurs célestes! Se rapprocher de l'infini, c'est le comprendre!»

La raréfaction de l'air dilatait considérablement l'hydrogène du ballon, et je voyais sa partie inférieure, laissée vide à dessein, se gonfler et rendre indispensable l'ouverture de la soupape; mais mon compagnon ne semblait pas décidé à me laisser manoeuvrer à ma guise. Je résolus donc de tirer en secret la corde de la soupape, pendant qu'il parlait avec animation, car je craignais de deviner à qui j'avais affaire! C'eût été trop horrible! Il était environ une heure moins un quart. Nous avions quitté Francfort depuis quarante minutes, et du côté du sud arrivaient contre le vent d'épais nuages prêts à se heurter contre nous.

«Avez-vous perdu tout espoir de faire triompher vos combinaisons? demandai-je avec un intérêt ... fort intéressé.

—Tout espoir! répondit sourdement l'inconnu. Blessé par les refus, les caricatures, ces coups de pied d'âne, m'ont achevé! C'est l'éternel supplice réservé aux novateurs! Voyez ces caricatures de toutes les époques, dont mon portefeuille est rempli!»

Pendant que mon compagnon feuilletait ses papiers, j'avais saisi la corde de la soupape, sans qu'il s'en fût aperçu. Il était à craindre, cependant, qu'il ne remarquât ce sifflement, semblable à une chute d'eau, que produit le gaz en fuyant.

«Que de plaisanteries faites sur l'abbé Miolan! dit-il. Il devait s'enlever avec Janninet et Bredin. Pendant l'opération, le feu prit à leur montgolfière, et une populace ignorante la mit en pièces! Puis la caricature des *animaux curieux* les appela *Miaulant, Jean Minet* et *Gredin*.»

Je tirai la corde de la soupape, et le baromètre commença à remonter. Il était temps! Quelques roulements lointains grondaient dans le sud.

«Voyez cette autre gravure, reprit l'inconnu, sans soupçonner mes manoeuvres. C'est un immense ballon enlevant un navire, des châteaux forts, des maisons, etc. Les caricaturistes ne pensaient pas que leurs niaiseries deviendraient un jour des vérités! Il est complet, ce grand vaisseau; à gauche, son gouvernail, avec le logement des pilotes; à la proue, maisons de plaisance, orgue gigantesque et canon pour appeler l'attention des habitants de la terre ou de la lune; au-dessus de la poupe, l'observatoire et le ballon-chaloupe; au cercle équatorial, le logement de l'armée; à gauche, le fanal, puis les galeries supérieures pour les promenades, les voiles, les ailerons; au-dessous, les cafés et le magasin général des vivres. Admirez cette magnifique annonce: «Inventé pour le bonheur du genre humain, ce globe partira incessamment pour les échelles du Levant, et à son retour il annoncera ses voyages tant pour les deux pôles que pour les extrémités de l'occident. Il ne faut se mettre en peine de rien; tout est prévu, tout ira bien. Il y aura un tarif exact pour tous les lieux de passage, mais les prix seront les mêmes pour les contrées les plus éloignées de notre hémisphère; savoir: mille louis pour un des dits voyages quelconques. Et l'on peut dire que cette somme est bien modique, eu égard à la célérité, à la commodité et aux agréments dont on jouira dans ledit aérostat, agréments que l'on ne rencontre pas ici-bas, attendu que dans ce ballon chacun y trouvera les choses de son imagination. Cela est si vrai, que, dans le même lieu, les uns seront au bal, les autres en station; les uns feront chère exquise et les autres jeûneront; quiconque voudra s'entretenir avec des gens d'esprit trouvera à qui parler; quiconque sera bête ne manquera pas d'égal. Ainsi, le plaisir sera l'âme de la société aérienne!» Toutes ces inventions ont fait rire ... Mais avant peu, si mes jours n'étaient comptés, on verrait que ces projets en l'air sont des réalités!»

Nous descendions visiblement. Il ne s'en apercevait pas!

«Voyez encore cette espèce de jeu de ballons, reprit-il, en étalant devant moi quelques-unes de ces gravures dont il avait une importante collection! Ce jeu contient toute l'histoire de l'art aérostatique. Il est à l'usage des esprits élevés, et se joue avec des dés et des jetons du prix desquels on convient, et que l'on paye ou que l'on reçoit, selon la case où l'on arrive.

—Mais, repris-je, vous paraissez avoir profondément étudié la science de l'aérostation?

—Oui, monsieur! oui! Depuis Phaéton, depuis Icare, depuis Architas, j'ai tout recherché, tout compulsé, tout appris! Par moi, l'art aérostatique rendrait d'immenses services au monde, si Dieu me prêtait vie! Mais cela ne sera pas!

—Pourquoi?

—Parce que je me nomme Empédocle ou Érostrate!»

Cependant, le ballon heureusement se rapprochait de terre; mais, quand on tombe, le danger est aussi grave à cent pieds qu'à cinq mille!

«Vous rappelez-vous la bataille de Fleuras? reprit mon compagnon, dont la face s'animait de plus en plus. C'est à cette bataille que Coutelle, par l'ordre du gouvernement, organisa une compagnie d'aérostiers! Au siège de Maubeuge, le général Jourdan retira de tels services de ce nouveau mode d'observation, que deux fois par jour, et avec le général lui-même, Coutelle s'élevait dans les airs. La correspondance entre l'aéronaute et les aérostiers qui retenaient le ballon s'opérait au moyen de petits drapeaux blancs, rouges et jaunes. Souvent des coups de carabine et de canon furent tirés sur l'appareil à l'instant où il s'élevait, mais sans résultat. Lorsque Jourdan se prépara à investir Charleroi, Coutelle se rendit près de cette place, s'enleva de la plaine de Jumet, et resta sept ou huit heures en observation avec le général Morlot, ce qui contribua sans doute à nous donner la victoire de Fleuras. Et, en effet, le général Jourdan proclama hautement les secours qu'il avait retirés des observations aéronautiques. Eh bien! malgré les services rendus à cette occasion et pendant la campagne de Belgique, l'année qui avait vu commencer la carrière militaire des ballons la vit aussi terminer! Et l'école de Meudon, fondée par le gouvernement, fut fermée par Bonaparte à son retour d'Égypte! Et cependant, qu'attendre de l'enfant qui vient de naître? avait dit Franklin. L'enfant était né viable, il ne fallait pas l'étouffer!»

L'inconnu courba son front sur ses mains, se prit à réfléchir quelques instants. Puis, sans relever la tête, il me dit:

«Malgré ma défense, monsieur, vous avez ouvert la soupape?»

Je lâchai la corde.

«Heureusement, reprit-il, nous avons encore trois cent livres de lest!

—Quels sont vos projets? dis-je alors.

—Vous n'avez jamais traversé les mers?» me demanda-t-il.

Je me sentis pâlir.

«Il est fâcheux, ajouta-t-il, que nous soyons poussés vers la mer Adriatique! Ce n'est qu'un ruisseau! Mais plus haut, nous trouverons pcut-être d'autres courants?»

Et, sans me regarder, il délesta le ballon de quelques sacs de sable. Puis, d'une voix menaçante:

«Je vous ai laissé ouvrir la soupape, dit-il, parce que la dilatation du gaz menaçait de crever le ballon! Mais n'y revenez pas!»

Et il reprit en ces termes:

«Vous connaissez la traversée de Douvres à Calais faite par Blanchard et Jefferies! C'est magnifique! Le 7 janvier 1788, par un vent de nord-ouest, leur ballon fut gonflé de gaz sur la côte de Douvres. Une erreur d'équilibre, à peine furent-ils enlevés, les força à jeter leur lest pour ne pas retomber, et ils n'en gardèrent que trente livres. C'était trop peu, car le vent ne fraîchissant pas, ils n'avançaient que fort lentement vers les côtes de France. De plus, la perméabilité du tissu faisait peu à peu dégonfler l'aérostat, et au bout d'une heure et demie les voyageurs s'aperçurent qu'ils descendaient.

«—Que faire? dit Jefferies.

«—Nous ne sommes qu'aux trois quarts du chemin, répondit Blanchard, et peu élevés! En montant, nous rencontrerons peut-être des vents plus favorables.

«—Jetons le reste du sable!»

«Le ballon reprit un peu de force ascensionnelle, mais il ne tarda pas à redescendre. Vers la moitié du voyage, les aéronautes se débarrassèrent de livres et d'outils. Un quart d'heure après, Blanchard dit à Jefferies:

«—Le baromètre?

«—Il monte! Nous sommes perdus, et cependant voilà les côtes de France!»

«Un grand bruit se fit entendre.

«—Le ballon est déchiré? dit Jefferies. «—Non! la perte du gaz a dégonflé la partie inférieure du ballon! Mais nous descendons toujours! Nous sommes perdus! En bas toutes les choses inutiles!»

«Les provisions de bouche, les rames et le gouvernail furent jetés à la mer. Les aéronautes n'étaient plus qu'à cent mètres de hauteur.

«—Nous remontons, dit le docteur.

«—Non, c'est l'élan causé par la diminution du poids! Et pas un navire en vue, pas une barque à l'horizon! À la mer nos vêtements!»

«Les malheureux se dépouillèrent, mais le ballon descendait toujours!

«—Blanchard, dit Jefferies, vous deviez faire seul ce voyage; vous avez consenti à me prendre; je me dévouerai! Je vais me jeter à l'eau, et le ballon soulagé remontera!

«—Non, non! c'est affreux!»

«Le ballon se dégonflait de plus en plus, et sa concavité, faisant parachute, resserrait le gaz contre les parois et en augmentait la fuite!

«—Adieu, mon ami! dit le docteur. Dieu vous conserve!»

«Il allait s'élancer, quand Blanchard le retint.

«—Il nous reste une ressource! dit-il. Nous pouvons couper les cordages qui retiennent la nacelle et nous accrocher au filet! Peut-être le ballon se relèvera-t-il. Tenons-nous prêts! Mais ... le baromètre descend! Nous remontons! Le vent fraîchit! Nous sommes sauvés!»

«Les voyageurs aperçoivent Calais! Leur joie tient du délire! Quelques instants plus tard, ils s'abattaient dans la forêt de Guines.»

«Je ne doute pas, ajouta l'inconnu, qu'en pareille circonstance, vous ne prissiez exemple sur le docteur Jefferies!»

Les nuages se déroulaient sous nos yeux en masses éblouissantes. Le ballon jetait de grandes ombres sur cet entassement de nuées et s'enveloppait comme d'une auréole. Le tonnerre mugissait au-dessous de la nacelle. Tout cela était effrayant!

«Descendons! m'écriai-je.

—Descendre, quand le soleil est là, qui nous attend! En bas les sacs!»

Et le ballon fut délesté de plus de cinquante livres!

À trois mille cinq cents mètres, nous demeurâmes stationnaires. L'inconnu parlait sans cesse. J'étais dans une prostration complète, tandis qu'il semblait, lui, vivre en son élément.

«Avec un bon vent, nous irions loin! s'écria-t-il. Dans les Antilles, il y a des courants d'air qui font cent lieues à l'heure! Lors du couronnement de Napoléon, Garnerin lança au ballon illuminé de verres de couleurs, à onze heures du soir. Le vent soufflait du nord-nord-ouest. Le lendemain au point du jour, les habitants de Rome saluaient son passage au-dessus du dôme de Saint-Pierre! Nous irons plus loin ... et plus haut!»

J'entendais à peine! Tout bourdonnait autour de moi! Une trouée se fit dans les nuages.

«Voyez cette ville, dit l'inconnu! C'est Spire!».

Je me penchai en dehors de la nacelle, et j'aperçus un petit entassement noirâtre. C'était Spire. Le Rhin, si large, ressemblait à un ruban déroulé. Au-dessus de notre tête, le ciel était d'un azur foncé. Les oiseaux nous avaient abandonnés depuis longtemps, car dans cet air raréfié leur vol eût été impossible. Nous étions seuls dans l'espace, et moi en présence de l'inconnu!

«Il est inutile que vous sachiez où je vous mène, dit-il alors, et il lança la boussole dans les nuages. Ah! c'est une belle chose qu'une chute! Vous savez que l'on compte peu de victimes de l'aérostation depuis Pilâtre des Rosiers jusqu'au lieutenant Gale, et que c'est toujours à l'imprudence que sont dus les malheurs. Pilâtre des Rosiers partit avec Romain, de Boulogne, le 13 juin 1785. À son ballon à gaz il avait suspendu une montgolfière à air chaud, afin de s'affranchir, sans doute, de la nécessité de perdre du gaz ou de jeter du lest. C'était mettre un réchaud sous un tonneau de poudre! Les imprudents arrivèrent à quatre cents mètres et furent pris par les vents opposés, qui les rejetèrent en pleine mer. Pour descendre, Pilâtre voulut ouvrir la soupape de l'aérostat, mais la corde de cette soupape se trouva engagée dans le ballon et le déchira tellement qu'il se vida en un instant. Il tomba sur la montgolfière, la fit tournoyer et entraîna les infortunés, qui se brisèrent en quelques secondes. C'est effroyable, n'est-ce pas?»

Je ne pus répondre que ces mots:

«Par pitié! descendons!»

Les nuages nous pressaient de toutes parts, et d'effroyables détonations, qui se répercutaient dans la cavité de l'aérostat, se croisaient autour de nous.

«Vous m'impatientez! s'écria l'inconnu, et vous ne saurez plus si nous montons ou si nous descendons!»

Et le baromètre alla rejoindre la boussole avec quelques sacs de terre. Nous devions être à cinq mille mètres de hauteur. Quelques glaçons s'attachaient déjà aux parois de la nacelle, et une sorte de neige fine me pénétrait jusqu'aux os. Et cependant un effroyable orage éclatait sous nos pieds, mais nous étions plus haut que lui.

«N'ayez pas peur, me dit l'inconnu. Il n'y a que les imprudents qui deviennent des victimes. Olivari, qui périt à Orléans, s'enlevait dans une montgolfière en papier; sa nacelle, suspendue au-dessous du réchaud et lestée de matières combustibles, devint la proie des flammes; Olivari tomba et se tua! Mosment s'enlevait à Lille, sur un plateau léger; une oscillation lui fit perdre l'équilibre; Mosment tomba et se tua! Bittorf, à Manheim, vit son ballon de papier s'enflammer dans les airs; Bittorf tomba et se tua! Harris s'éleva dans un ballon mal construit, dont la soupape trop grande ne put se refermer; Harris tomba et se tua! Sadler, privé de lest par son long séjour dans l'air, fut entraîné sur la ville de Boston et heurté contre les cheminées; Sadler tomba et se tua! Coking descendit avec un parachute convexe qu'il prétendait perfectionné; Coking tomba et se tua! Eh bien, je les aime, ces victimes de leur imprudence, et je mourrai comme elles! Plus haut! plus haut!»

Tous les fantômes de cette nécrologie me passaient devant les yeux! La raréfaction de l'air et les rayons du soleil augmentaient la dilatation du gaz, et le ballon montait toujours! Je tentai machinalement d'ouvrir la soupape, mais l'inconnu en coupa la corde à quelques pieds au-dessus de ma tête ... J'étais perdu!

«Avez-vous vu tomber Mme Blanchard? me dit-il. Je l'ai vue, moi! oui, moi! J'étais au Tivoli le 6 juillet 1819. Mme Blanchard s'élevait dans un ballon de petite taille, pour épargner les frais de remplissage, et elle était obligée de le gonfler entièrement. Aussi, le gaz fusait-il par l'appendice inférieur, laissant sur sa route une véritable traînée d'hydrogène. Elle emportait, suspendue au-dessous de sa nacelle par un fil de fer, une sorte d'auréole d'artifice qu'elle devait enflammer. Maintes fois, elle avait répété cette expérience. Ce jour-là, elle enlevait de plus un petit parachute lesté par un artifice terminé en boule à pluie d'argent. Elle devait lancer cet appareil, après l'avoir enflammé avec une lance à feu toute préparée à cet effet. Elle partit. La nuit était sombre. Au moment d'allumer son artifice, elle eut l'imprudence de faire passer la lance à feu sous la colonne d'hydrogène qui fusait hors du ballon. J'avais les yeux fixés sur elle. Tout à coup, une lueur inattendue éclaire les ténèbres. Je crus à une surprise de l'habile aéronaute. La lueur grandit, disparut soudain et reparut au sommet de l'aérostat sous la forme d'un immense jet de gaz enflammé. Cette clarté sinistre se projetait sur le boulevard et sur tout le quartier Montmartre. Alors, je vis la malheureuse se lever, essayer deux fois de comprimer l'appendice du ballon pour éteindre le feu, puis s'asseoir dans sa nacelle et chercher à diriger sa descente, car elle ne tombait pas. La combustion du gaz dura plusieurs minutes. Le ballon, s'amoindrissant de plus en plus, descendait toujours, mais ce n'était pas une chute! Le vent soufflait du nord-ouest et le rejeta sur Paris. Alors, aux environs de la maison n° 16, rue de Provence, il y avait d'immenses jardins. L'aéronaute pouvait y tomber sans danger. Mais, fatalité! Le ballon et la nacelle portent sur le toit de la maison! Le choc fut léger. «À moi!» crie l'infortunée. J'arrivais dans la rue à ce moment. La nacelle glissa sur le toit, rencontra un crampon de fer. À cette secousse, Mme

Blanchard fut lancée hors de sa nacelle et précipitée sur le pavé. Mme Blanchard se tua!»

Ces histoires me glaçaient d'horreur! L'inconnu était debout, tête nue, cheveux hérissés, yeux hagards!

Plus d'illusion possible! Je voyais enfin l'horrible vérité! J'avais affaire à un fou!

Il jeta le reste du lest, et nous dûmes être emportés au moins à neuf mille mètres de hauteur! Le sang me sortait par le nez et par la bouche!

«Qu'y a-t-il de plus beau que les martyrs de la science? s'écriait alors l'insensé. Ils sont canonisés par la postérité!»

Mais je n'entendais plus. Le fou regarda autour de lui et s'agenouilla à mon oreille:

«Et la catastrophe de Zambecarri, l'avez-vous oubliée? Écoutez. Le 7 octobre 1804, le temps parut se lever un peu. Les jours précédents, le vent et la pluie n'avaient pas cessé, mais l'ascension annoncée par Zambecarri ne pouvait se remettre. Ses ennemis le bafouaient déjà. Il fallait partir pour sauver de la risée publique la science et lui. C'était à Bologne. Personne ne l'aida au remplissage de son ballon.

«Ce fut à minuit qu'il s'enleva, accompagné d'Andréoli et de Grossetti. Le ballon monta lentement, car il avait été troué par la pluie, et le gaz fusait. Les trois intrépides voyageurs ne pouvaient observer l'état du baromètre qu'à l'aide d'une lanterne sourde. Zambecarri n'avait pas mangé depuis vingt-quatre heures. Grossetti était aussi à jeun.

«—Mes amis, dit Zambecarri, le froid me saisit, je suis épuisé. Je vais mourir!»

«Il tomba inanimé dans la galerie. Il en fut de même de Grossetti. Andréoli seul restait éveillé. Après de longs efforts, il parvint à secouer Zambecarri de son engourdissement.

«—Qu'y a-t-il de nouveau? Où allons-nous? D'où vient le vent? Quelle heure est-il?

«—Il est deux heures!

«—Où est la boussole?

«—Renversée!

«—Grand Dieu! la bougie de la lanterne s'éteint!

«—Elle ne peut plus brûler dans cet air raréfié,» dit Zambecarri!

«La lune n'était pas levée, et l'atmosphère était plongée dans une ténébreuse horreur.

«—J'ai froid, j'ai froid! Andréoli. Que faire?»

«Les malheureux descendirent lentement à travers une couche de nuages blanchâtres.

«—Chut! dit Andréoli. Entends-tu?

«—Quoi? répondit Zambecarri.

«—Un bruit singulier!

«—Tu te trompes!

«—Non!»

«Voyez-vous ces voyageurs au milieu de la nuit, écoutant ce bruit incompréhensible! Vont-ils se heurter contre une tour? Vont-ils être précipités sur des toits?»

«—Entends-tu? On dirait le bruit de la mer!

«—Impossible!

«—C'est le mugissement des vagues!

«—C'est vrai!

«—De la lumière! de la lumière!»

«Après cinq tentatives infructueuses, Andréoli en obtint. Il était trois heures. Le bruit des vagues se fit entendre avec violence. Ils touchaient presque à la surface de la mer!

«—Nous sommes perdus! cria Zambecarri, et il se saisit d'un gros sac de lest.

«—À nous!» cria Andréoli.

«La nacelle touchait l'eau, et les flots leur couvraient la poitrine!

«—À la mer les instruments, les vêtements, l'argent!»

«Les aéronautes se dépouillèrent entièrement. Le ballon délesté s'enleva avec une rapidité effroyable. Zambecarri fut pris d'un vomissement considérable. Grossetti saigna abondamment. Les malheureux ne pouvaient parler, tant leur respiration était courte. Le froid les saisit, et en un moment ils furent couverts d'une couche de glace. La lune leur parut rouge comme du sang.

«Après avoir parcouru ces hautes régions pendant une demi-heure, la machine retomba dans la mer. Il était quatre heures du matin. Les naufragés avaient la moitié du corps dans l'eau, et le ballon, faisant voile, les traîna pendant plusieurs heures.

«Au point du jour, ils se trouvèrent vis-à-vis de Pesaro, à quatre milles de la côte. Ils y allaient aborder, quand un coup de vent les rejeta en pleine mer.

«Ils étaient perdus! Les barques épouvantées fuyaient à leur approche!... Heureusement, un navigateur plus instruit les accosta, les hissa à bord, et ils débarquèrent à Ferrada.

«Voyage effrayant, n'est-ce pas? Mais Zambecarri était un homme énergique et brave. À peine remis de ses souffrances, il recommença ses ascensions. Pendant l'une d'elles, il se heurta contre un arbre, sa lampe à esprit-de-vin se répandit sur ses vêtements; il fut couvert de feu, et sa machine commençait à s'embraser, quand il put redescendre à demi brûlé!

«Enfin, le 21 septembre 1812, il fit une autre ascension à Bologne. Son ballon s'accrocha à un arbre, et sa lampe y mit encore le feu. Zambecarri tomba et se tua!

«Et en présence de ces faits, nous hésiterions encore! Non! Plus nous irons haut, plus la mort sera glorieuse!»

Le ballon entièrement délesté de tous les objets qu'il contenait, nous fûmes emportés à des hauteurs inappréciables! L'aérostat vibrait dans l'atmosphère. Le moindre bruit faisait éclater les voûtes célestes. Notre globe, le seul objet qui frappât ma vue dans l'immensité, semblait prêt à s'anéantir, et, au-dessus de nous, les hauteurs du ciel étoilé se perdaient dans les ténèbres profondes!

Je vis l'individu se dresser devant moi!

«Voici l'heure! me dit-il. Il faut mourir! Nous sommes rejetés par les hommes! Ils nous méprisent! Écrasons-les!

—Grâce! fis-je.

—Coupons ces cordes! Que cette nacelle soit abandonnée dans l'espace! La force attractive changera de direction, et nous aborderons au soleil!»

Le désespoir me galvanisa. Je me précipitai sur le fou, nous nous prîmes corps à corps, et une lutte effroyable se passa! Mais je fus terrassé, et tandis qu'il me maintenait sous son genou, le fou coupait les cordes de la nacelle.

«Une!... fit-il.

—Mon Dieu!...

—Deux!... trois!...»

Je fis un effort surhumain, je me redressai et repoussai violemment l'insensé!

«Quatre!» dit-il.

La nacelle tomba, mais, instinctivement, je me cramponnai aux cordages et je me hissai dans les mailles du filet.

Le fou avait disparu dans l'espace!

Le ballon fût enlevé à une hauteur incommensurable! Un horrible craquement se fit entendre!... Le gaz, trop dilaté, avait crevé l'enveloppe! Je fermai les yeux ...

Quelques instants après, une chaleur humide me ranima. J'étais au milieu de nuages en feu. Le ballon tournoyait avec un vertige effrayant. Pris par le vent, il faisait cent lieues à l'heure dans sa course horizontale, et les éclairs se croisaient autour de lui.

Cependant, ma chute n'était pas très-rapide. Quand je rouvris les yeux, j'aperçus la campagne. J'étais à deux milles de la mer, et l'ouragan m'y poussait avec force, quand une secousse brusque me fit lâcher prise. Mes mains s'ouvrirent, une corde glissa rapidement entre mes doigts, et je me trouvai à terre!

C'était la corde de l'ancre, qui, balayant la surface du sol, s'était prise dans une crevasse, et mon ballon, délesté une dernière fois, alla se perdre au delà des mers.

Quand je revins à moi, j'étais couché chez un paysan, à Harderwick, petite ville de la Gueldre, à quinze lieues d'Amsterdam, sur les bords du Zuyderzée.

Un miracle m'avait sauvé la vie, mais mon voyage n'avait été qu'une série d'imprudences, faites par un fou, auxquelles je n'avais pu parer!

Que ce terrible récit, en instruisant ceux qui me lisent, ne décourage donc pas les explorateurs des routes de l'air!

UN HIVERNAGE DANS LES GLACES

I
LE PAVILLON NOIR

Le curé de la vieille église de Dunkerque se réveilla à cinq heures, le 12 mai 18.., pour dire, suivant son habitude, la première basse messe à laquelle assistaient quelques pieux pêcheurs.

Vêtu de ses habits sacerdotaux, il allait se rendre à l'autel, quand un homme entra dans la sacristie, joyeux et effaré à la fois. C'était un marin d'une soixantaine d'années, mais encore vigoureux et solide, avec une bonne et honnête figure.

«Monsieur le curé, s'écria-t-il, halte là! s'il vous plaît.

—Qu'est-ce qui vous prend donc si matin, Jean Cornbutte? répliqua le curé.

—Ce qui me prend?... Une fameuse envie de vous sauter au cou, tout de même!

—Eh bien, après la messe à laquelle vous allez assister....

—La messe! répondit en riant le vieux marin. Vous croyez que vous allez dire votre messe maintenant, et que je vous laisserai faire?

—Et pourquoi ne dirais-je pas ma messe? demanda le curé. Expliquez-vous! Le troisième son a tinté ...

—Qu'il ait tinté ou non, répliqua Jean Cornbutte, il en tintera bien d'autres aujourd'hui, monsieur le curé, car vous m'avez promis de bénir de vos propres mains le mariage de mon fils Louis et de ma nièce Marie!

—Il est donc arrivé? s'écria joyeusement le curé.

—Il ne s'en faut guère, reprit Cornbutte en se frottant les mains. La vigie nous a signalé, au lever du soleil, notre brick, que vous avez baptisé vous-même du beau nom de *la Jeune-Hardie!*

—Je vous en félicite du fond du coeur, mon vieux Cornbutte, dit le curé en se dépouillant de la chasuble et de l'étole. Je connais vos conventions. Le vicaire va me remplacer, et je me tiendrai à votre disposition pour l'arrivée de votre cher fils.

—Et je vous promets qu'il ne vous fera pas jeûner trop longtemps! répondit le marin. Les bans ont déjà été publiés par vous-même, et vous n'aurez plus qu'à l'absoudre des péchés qu'on peut commettre entre le ciel et l'eau, dans les mers du Nord. Une fameuse idée que j'ai eue là, de vouloir que la noce se fît le jour même de l'arrivée, et que mon fils Louis ne quittât son brick que pour se rendre à l'église!

—Allez donc tout disposer, Cornbutte.

—J'y cours, monsieur le curé. À bientôt!

Le marin revint à grands pas à sa maison, située sur le quai du port marchand, et d'où l'on apercevait la mer du Nord, ce dont il se montrait si fier.

Jean Cornbutte avait amassé quelque bien dans son état. Après avoir longtemps commandé les navires d'un riche armateur du Havre, il se fixa dans sa ville natale, où il fit construire, pour son propre compte, le brick *la Jeune-Hardie*. Plusieurs voyages dans le Nord réussirent, et le navire trouva toujours à vendre à bon prix ses chargements de bois, de fer et de goudron. Jean Cornbutte en céda alors le commandement à son fils Louis, brave marin de trente ans, qui, au dire de tous les capitaines caboteurs, était bien le plus vaillant matelot de Dunkerque.

Louis Cornbutte était parti, ayant un grand attachement pour Marie, la nièce de son père, qui trouvait bien longs les jours de l'absence. Marie avait vingt ans à peine. C'était une belle Flamande, avec quelques gouttes de sang hollandais dans les veines. Sa mère l'avait confiée, en mourant, à son frère Jean Cornbutte. Aussi, ce brave marin l'aimait comme sa propre fille, et voyait dans l'union projetée une source de vrai et durable bonheur.

L'arrivée du brick, signalé au large des passes, terminait une importante opération commerciale dont Jean Cornbutte attendait gros profit. *La Jeune-Hardie*, partie depuis trois mois, revenait en dernier lieu de Bodoë, sur la côte occidentale de la Norwége, et elle avait opéré rapidement son voyage.

En rentrant au logis, Jean Cornbutte trouva toute la maison sur pied. Marie, le front radieux, revêtait ses habillements de mariée.

«Pourvu que le brick n'arrive pas avant nous! disait-elle.

—Hâte-toi, petite, répondit Jean Cornbutte, car les vents viennent du nord, et *la Jeune-Hardie* file bien, quand elle file grand largue!

—Nos amis sont-ils prévenus, mon oncle? demanda Marie.

—Ils sont prévenus!

—Et le notaire, et le curé?

—Sois tranquille! Il n'y aura que toi à nous faire attendre!»

En ce moment entra le compère Clerbaut.

«Eh bien! mon vieux Cornbutte, s'écria-t-il, voilà de la chance! Ton navire arrive précisément à l'époque où le gouvernement vient de mettre en adjudication de grandes fournitures de bois pour la marine.

—Qu'est-ce que ça me fait? répondit Jean Cornbutte. Il s'agit bien du gouvernement!

—Sans doute, monsieur Clerbaut, dit Marie, il n'y a qu'une chose qui nous occupe: c'est le retour de Louis.

—Je ne disconviens pas que..., répondit le compère. Mais enfin ces fournitures....

—Et vous serez de la noce, répliqua Jean Cornbutte, qui interrompit le négociant et lui serra la main de façon à la briser.

—Ces fournitures de bois....

—Et avec tous nos amis de terre et nos amis de mer, Clerbaut. J'ai déjà prévenu mon monde, et j'inviterai tout l'équipage du brick!

—Et nous irons l'attendre sur l'estacade? demanda Marie.

—Je te crois bien, répondit Jean Cornbutte. Nous défilerons tous deux par deux, violons en tête!»

Les invités de Jean Cornbutte arrivèrent sans tarder. Bien qu'il fût de grand matin, pas un ne manqua à l'appel. Tous félicitèrent à l'envi le brave marin qu'ils aimaient. Pendant ce temps, Marie, agenouillée, transformait devant Dieu ses prières en remercîments. Elle rentra bientôt, belle et parée, dans la salle commune, et elle eut la joue embrassée par toutes les commères, la main vigoureusement serrée par tous les hommes; puis, Jean Cornbutte donna le signal du départ.

Ce fut un spectacle curieux de voir cette joyeuse troupe prendre le chemin de la mer au lever du soleil. La nouvelle de l'arrivée du brick avait circulé dans le port, et bien des têtes en bonnets de nuit apparurent aux fenêtres et aux portes entrebâillées. De chaque côté arrivait un honnête compliment ou un salut flatteur.

La noce atteignit l'estacade au milieu d'un concert de louanges et de bénédictions. Le temps s'était fait magnifique, et le soleil semblait se mettre de la partie. Un joli vent du nord faisait écumer les lames, et quelques chaloupes de pêcheurs, orientées au plus près pour sortir du port, rayaient la mer de leur rapide sillage entre les estacades.

Les deux jetées de Dunkerque qui prolongent le quai du port, s'avancent loin dans la mer. Les gens de la noce occupaient toute la largeur de la jetée du nord, et ils atteignirent bientôt une petite maisonnette située à son extrémité, où veillait le maître du port.

Le brick de Jean Cornbutte était devenu de plus en plus visible. Le vent fraîchissait, et *la Jeune-Hardie* courait grand largue sous ses huniers, sa misaine, sa brigantine, ses perroquets et ses cacatois. La joie devait évidemment régner à bord comme à terre. Jean Cornbutte, une longue-vue à la main, répondait gaillardement aux questions de ses amis.

«Voilà bien mon beau brick! s'écriait-il, propre et rangé comme s'il appareillait de Dunkerque! Pas une avarie! Pas un cordage de moins!

—Voyez-vous votre fils le capitaine? lui demandait-on.

—Non, pas encore. Ah! c'est qu'il est à son affaire!

—Pourquoi ne hisse-t-il pas son pavillon? demanda Clerbaut.

—Je ne sais guère, mon vieil ami, mais il a une raison sans doute.

—Votre longue-vue, mon oncle, dit Marie en lui arrachant l'instrument des mains, je veux être la première à l'apercevoir!

—Mais c'est mon fils, mademoiselle!

—Voilà trente ans qu'il est votre fils, répondit en riant la jeune fille, et il n'y que deux ans qu'il est mon fiancé!»

La Jeune-Hardie était entièrement visible. Déjà l'équipage faisait ses préparatifs de mouillage. Les voiles hautes avaient été carguées. On pouvait reconnaître les matelots qui s'élançaient dans les agrès. Mais ni Marie, ni Jean Cornbutte n'avaient encore pu saluer de la main le capitaine du brick.

«Ma foi, voici le second, André Vasling! s'écria Clerbaut.

—Voici Fidèle Misonne, le charpentier, répondit un des assistants.

—Et notre ami Penellan!» dit un autre, en faisant un signe au marin ainsi nommé.

La Jeune-Hardie ne se trouvait plus qu'à trois encâblures du port, lorsqu'un pavillon noir monta à la corne de brigantine ... Il y avait deuil à bord!

Un sentiment de terreur courut dans tous les esprits et dans le coeur de la jeune fiancée.

Le brick arrivait tristement au port, et un silence glacial régnait sur son pont. Bientôt il eut dépassé l'extrémité de l'estacade. Marie, Jean Cornbutte et tous les amis se précipitèrent vers le quai qu'il allait accoster, et, en un instant, ils se trouvèrent à bord.

«Mon fils!» dit Jean Cornbutte, qui ne put articuler que ces mots.

Les marins du brick, la tête découverte, lui montrèrent le pavillon de deuil.

Marie poussa un cri de détresse et tomba dans les bras du vieux Cornbutte.

André Vasling avait ramené *la Jeune-Hardie*; mais Louis Cornbutte, le fiancé de Marie, n'était plus à son bord.

II

LE PROJET DE JEAN CORNBUTTE

Dès que la jeune fille, confiée aux soins de charitables amis, eut quitté le brick, le second, André Vasling, apprit à Jean Cornbutte l'affreux événement qui le privait de revoir son fils, et que le journal du bord rapportait en ces termes:

«À la hauteur du Maëlstrom, 26 avril, le navire s'étant mis à la cape par un gros temps et des vents de sud-ouest, aperçut des signaux de détresse que lui faisait une goëlette sous le vent. Cette goëlette, démâtée de son mât de misaine, courait vers le gouffre, à sec de toiles. Le capitaine Louis Cornbutte, voyant ce navire marcher à une perte imminente, résolut d'aller à bord. Malgré les représentations de son équipage, il fit mettre la chaloupe à la mer, y descendit avec le matelot Cortrois et Pierre Nouquet le timonier. L'équipage les suivit des yeux, jusqu'au moment où ils disparurent au milieu de la brume. La nuit arriva. La mer devint de plus en plus mauvaise. *La Jeune-Hardie*, attirée par les courants qui avoisinent ces parages, risquait d'aller s'engloutir dans le Maëlstrom. Elle fut obligée de fuir vent arrière. En vain croisa-t-elle pendant quelques jours sur le lieu du sinistre: la chaloupe du brick, la goëlette, le capitaine Louis et les deux matelots ne reparurent pas. André Vasling assembla alors l'équipage, prit le commandement du navire et fit voile vers Dunkerque.»

Jean Cornbutte, après avoir lu ce récit, sec comme un simple fait de bord, pleura longtemps, et s'il eut quelque consolation, elle vint de cette pensée que son fils était mort en voulant secourir ses semblables. Puis, le pauvre père quitta ce brick, dont la vue lui faisait mal, et il rentra dans sa maison désolée.

Cette triste nouvelle se répandit aussitôt dans tout Dunkerque. Les nombreux amis du vieux marin vinrent lui apporter leurs vives et sincères condoléances. Puis, les matelots de *la Jeune-Hardie* donnèrent les détails les plus complets sur cet événement, et André Vasling dut raconter à Marie, dans tous ses détails, le dévouement de son fiancé.

Jean Cornbutte réfléchit, après avoir pleuré, et le lendemain même du mouillage, voyant entrer André Vasling chez lui, il lui dit:

«Êtes-vous bien sûr, André, que mon fils ait péri?

—Hélas! oui, monsieur Jean! répondit André Vasling.

—Et avez-vous bien fait toutes les recherches voulues pour le retrouver?

—Toutes, sans contredit, monsieur Cornbutte! Mais il n'est malheureusement que trop certain que ses deux matelots et lui ont été engloutis dans le gouffre du Maëlstrom.

—Vous plairait-il, André, de garder le commandement en second du navire?

—Cela dépendra du capitaine, monsieur Cornbutte.

—Le capitaine, ce sera moi, André, répondit le vieux marin. Je vais rapidement décharger mon navire, composer mon équipage et courir à la recherche de mon fils!

—Votre fils est mort! répondit André Vasling en insistant.

—C'est possible, André, répliqua vivement Jean Cornbutte, mais il est possible aussi qu'il se soit sauvé. Je veux fouiller tous les ports de la Norwége, où il a pu être poussé, et, quand j'aurai la certitude de ne plus jamais le revoir, alors, seulement, je reviendrai mourir ici!»

André Vasling, comprenant que cette décision était inébranlable, n'insista plus et se retira.

Jean Cornbutte instruisit aussitôt sa nièce de son projet, et il vit briller quelques lueurs d'espérance à travers ses larmes. Il n'était pas encore venu à l'esprit de la jeune fille que la mort de son fiancé put être problématique; mais à peine ce nouvel espoir fut-il jeté dans son coeur, qu'elle s'y abandonna sans réserve.

Le vieux marin décida que la *Jeune-Hardie* reprendrait aussitôt la mer. Ce brick, solidement construit, n'avait aucune avarie à réparer. Jean Cornbutte fit publier que s'il plaisait à ses matelots de s'y rembarquer, rien ne serait changé à la composition de l'équipage. Il remplacerait seulement son fils dans le commandement du navire.

Pas un des compagnons de Louis Cornbutte ne manqua à l'appel, et il y avait là de hardis marins, Alain Turquiette, le charpentier Fidèle Misonne, le Breton Penellan, qui remplaçait Pierre Nouquet comme timonier de la *Jeune-Hardie*, et puis Gradlin, Aupic, Gervique, matelots courageux et éprouvés.

Jean Cornbutte proposa de nouveau à André Vasling de reprendre son rang à bord. Le second du brick était un manoeuvrier habile, qui avait fait ses preuves en ramenant la *Jeune-Hardie* à bon port. Cependant, on ne sait pour quel motif, André Vasling fit quelques difficultés, et demanda à réfléchir.

«Comme vous voudrez, André Vasling, répondit Cornbutte. Souvenez-vous seulement que, si vous acceptez, vous serez le bienvenu parmi nous.»

Jean Cornbutte avait un homme dévoué dans le Breton Penellan, qui fut longtemps son compagnon de voyage. La petite Marie passait autrefois les longues soirées d'hiver dans les bras du timonier, pendant que celui-ci demeurait à terre. Aussi avait-il conservé pour elle une amitié de père, que la jeune fille lui rendait en amour filial. Penellan pressa de tout son pouvoir l'armement du brick, d'autant plus que, selon lui, André Vasling n'avait peut-être pas fait toutes les recherches possibles pour retrouver les naufragés, bien qu'il fût excusé par la responsabilité qui pesait sur lui comme capitaine.

Huit jours ne s'étaient pas écoulés que *la Jeune-Hardie* se trouvait prête à reprendre la mer. Au lieu de marchandises, elle fut complétement approvisionnée de viandes salées, de biscuits, de barils de farine, de pommes de terre, de porc, de vin, d'eau-de-vie, de café, de thé, de tabac.

Le départ fut fixé au 22 mai. La veille au soir, André Vasling, qui n'avait pas encore rendu réponse à Jean Cornbutte, se rendit à son logis. Il était encore indécis et ne savait quel parti prendre.

Jean Cornbutte n'était pas chez lui, bien que la porte de sa maison fût ouverte. André Vasling pénétra dans la salle commune attenante à la chambre de la jeune fille, et, là, le bruit d'une conversation animée frappa son oreille. Il écouta attentivement et reconnut les voix de Penellan et de Marie.

Sans doute la discussion se prolongeait déjà depuis quelque temps, car la jeune fille semblait opposer une inébranlable fermeté aux observations du marin breton.

«Quel âge a mon oncle Cornbutte? disait Marie.

—Quelque chose comme soixante ans, répondait Penellan.

—Eh bien! ne va-t-il pas affronter des dangers pour retrouver son fils?

—Notre capitaine est un homme solide encore, répliquait le marin. Il a un corps de bois de chêne et des muscles durs comme une barre de rechange! Aussi, je ne suis point effrayé de lui voir reprendre la mer!

—Mon bon Penellan, reprit Marie, on est forte quand on aime! D'ailleurs, j'ai pleine confiance dans l'appui du Ciel. Vous me comprenez et vous me viendrez en aide!

—Non! disait Penellan. C'est impossible, Marie! Qui sait où nous dériverons, et quels maux il nous faudra souffrir! Combien ai-je vu d'hommes vigoureux laisser leur vie dans ces mers!

—Penellan, reprit la jeune fille, il n'en sera ni plus ni moins, et si vous me refusez, je croirai que vous ne m'aimez plus!»

André Vasling avait compris la résolution de la jeune fille. Il réfléchit un instant, et son parti fut pris.

«Jean Cornbutte, dit-il, en s'avançant vers le vieux marin qui entrait, je suis des vôtres. Les causes qui m'empêchaient d'embarquer ont disparu, et vous pouvez compter sur mon dévouement.

—Je n'avais jamais douté de vous, André Vasling, répondit Jean Cornbutte en lui prenant la main. Marie! mon enfant!» dit-il à voix haute.

Marie et Penellan parurent aussitôt.

«Nous appareillerons demain au point du jour avec la marée tombante, dit le vieux marin. Ma pauvre Marie, voici la dernière soirée que nous passerons ensemble!

—Mon oncle, s'écria Marie en tombant dans les bras de Jean Cornbutte.

—Marie! Dieu aidant, je te ramènerai ton fiancé!

—Oui, nous retrouverons Louis! ajouta André Vasling.

—Vous êtes donc des nôtres? demanda vivement Penellan.

—Oui, Penellan, André Vasling sera mon second, répondit Jean Cornbutte.

—Oh! oh! fit le Breton d'un air singulier.

—Et ses conseils nous seront utiles, car il est habile et entreprenant.

—Mais vous-même, capitaine, répondit André Vasling, vous nous en remontrerez à tous, car il y a encore en vous autant de vigueur que de savoir.

—Eh bien, mes amis, à demain. Rendez-vous à bord et prenez les dernières dispositions. Au revoir, André, au revoir, Penellan!»

Le second et le matelot sortirent ensemble. Jean Cornbutte et Marie demeurèrent en présence l'un de l'autre. Bien des larmes furent répandues pendant cette triste soirée. Jean Cornbutte, voyant Marie si désolée, résolut de brusquer la séparation en quittant le lendemain la maison sans la prévenir.

Aussi, ce soir-là même, lui donna-t-il son dernier baiser, et à trois heures du matin il fut sur pied.

Ce départ avait attiré sur l'estacade tous les amis du vieux marin. Le curé, qui devait bénir l'union de Marie et de Louis, vint donner une dernière bénédiction au navire. De rudes poignées de main furent silencieusement échangées, et Jean Cornbutte monta à bord.

L'équipage était au complet. André Vasling donna les derniers ordres. Les voiles furent larguées, et le brick s'éloigna rapidement par une bonne brise de nord-ouest, tandis que le curé, debout au milieu des spectateurs agenouillés, remettait ce navire entre les mains de Dieu.

Où va ce navire? Il suit la route périlleuse sur laquelle se sont perdus tant de naufragés! Il n'a pas de destination certaine! Il doit s'attendre à tous les périls, et savoir les braver sans hésitation! Dieu seul sait où il lui sera donné d'aborder! Dieu le conduise!

III

LUEUR D'ESPOIR

À cette époque de l'année, la saison était favorable, et l'équipage put espérer arriver promptement sur le lieu du naufrage.

Le plan de Jean Cornbutte se trouvait naturellement tracé. Il comptait relâcher aux îles Feroë, où le vent du nord pouvait avoir porté les naufragés; puis, s'il acquérait la certitude qu'ils n'avaient été recueillis dans aucun port de ces parages, il devait porter ses recherches au delà de la mer du Nord, fouiller toute la côte occidentale de la Norwége, jusqu'à Bodoë, le lieu le plus rapproché du naufrage, et au delà, s'il le fallait.

André Vasling pensait, contrairement à l'avis du capitaine, que les côtes de l'Islande devaient plutôt être explorées; mais Penellan fit observer que, lors de la catastrophe, la bourrasque venait de l'ouest; ce qui, tout en donnant l'espoir que les malheureux n'avaient pas été entraînés vers le gouffre du Maëlstrom, permettait de supposer qu'ils s'étaient jetés à la côte de Norwége.

Il fut donc résolu que l'on suivrait ce littoral d'aussi près que possible, afin de reconnaître quelques traces de leur passage.

Le lendemain du départ, Jean Cornbutte, la tête penchée sur une carte, était abîmé dans ses réflexions, quand une petite main s'appuya sur son épaule, et une douce voix lui dit à l'oreille:

«Ayez bon courage, mon oncle!»

Il se retourna et demeura stupéfait. Marie l'entourait de ses bras.

«Marie! ma fille à bord! s'écria-t-il.

—La femme peut bien aller chercher son mari, quand le père s'embarque pour sauver son enfant!

—Malheureuse Marie! Comment supporteras-tu nos fatigues? Sais-tu bien que ta présence peut nuire à nos recherches?

—Non, mon oncle, car je suis forte!

—Qui sait où nous serons entraînés, Marie! Vois cette carte! Nous approchons de ces parages si dangereux, même pour nous autres marins, endurcis à toutes les fatigues de la mer! Et toi, faible enfant!

—Mais, mon oncle, je suis d'une famille de marins! Je suis faite aux récits de combats et de tempêtes! Je suis près de vous et de mon vieil ami Penellan!

—Penellan! C'est lui qui t'a cachée à bord!

—Oui, mon oncle, mais seulement quand il a vu que j'étais décidée à le faire sans son aide.

—Penellan!» cria Jean Cornbutte.

Penellan entra.

«Penellan, il n'y a pas à revenir sur ce qui est fait, mais souviens-toi que tu es responsable de l'existence de Marie!

—Soyez tranquille, capitaine, répondit Penellan. La petite a force et courage, et elle nous servira d'ange gardien. Et puis, capitaine, vous connaissez mon idée: tout est pour le mieux dans ce monde.»

La jeune fille fut installée dans une cabine, que les matelots disposèrent pour elle en peu d'instants et qu'ils rendirent aussi confortable que possible.

Huit jours plus tard, *la Jeune-Hardie* relâchait aux Feroë, mais les plus minutieuses explorations demeurèrent sans fruit. Aucun naufragé, aucun débris de navire n'avait été recueilli sur les côtes. La nouvelle même de l'événement y était entièrement inconnue. Le brick reprit donc son voyage, après dix jours de relâche, vers le 10 juin. L'état de la mer était bon, les vents fermes. Le navire fut rapidement poussé vers les côtes de Norwége, qu'il explora sans plus de résultat.

Jean Cornbutte résolut de se rendre à Bodoë. Peut-être apprendrait-il là le nom du navire naufragé au secours duquel s'étaient précipités Louis Cornbutte et ses deux matelots.

Le 30 juin, le brick jetait l'ancre dans ce port

Là, les autorités remirent à Jean Cornbutte une bouteille trouvée à la côte, et qui renfermait un document ainsi conçu:

«Ce 26 avril, à bord du *Froöern*, après avoir été accostés par la chaloupe de *la Jeune-Hardie*, nous sommes entraînés par les courants vers les glaces! Dieu ait pitié de nous!»

Le premier mouvement de Jean Cornbutte fut de remercier le Ciel. Il se croyait sur les traces de son fils! Ce *Froöern* était une goëlette norwégienne dont on n'avait plus de nouvelles, mais qui avait été évidemment entraînée dans le Nord.

Il n'y avait pas à perdre un jour. *La Jeune-Hardie* fut aussitôt mise en état d'affronter les périls des mers polaires. Fidèle Misonne le charpentier la visita scrupuleusement et s'assura que sa construction solide pourrait résister au choc des glaçons.

Par les soins de Penellan, qui avait déjà fait la pêche de la baleine dans les mers arctiques, des couvertures de laine, des vêtements fourrés, de nombreux mocassins en peau de phoque et le bois nécessaire à la fabrication de traîneaux destinés à courir sur les plaines de glaces, furent embarqués à bord. On augmenta, sur une grande proportion, les approvisionnements d'esprit-de-vin et de charbon de terre, car il était possible que l'on fût forcé d'hiverner sur quelque point de la côte groënlandaise. On se procura également, à grand prix et à grand'peine, une certaine quantité de citrons, destinés à prévenir ou guérir le scorbut, cette terrible maladie qui décime les équipages dans les régions glacées. Toutes les provisions de viandes salées, de biscuits, d'eau-de-vie, augmentées dans une prudente mesure, commencèrent à emplir une partie de la cale du brick, car la cambuse n'y pouvait plus suffire. On se munit également d'une grande quantité de pemmican, préparation indienne qui concentre, beaucoup d'éléments nutritifs sous un petit volume.

D'après les ordres de Jean Cornbutte, on embarqua à bord de *la Jeune-Hardie* des scies, destinées à couper les champs de glaces, ainsi que des piques et des coins propres à les séparer. Le capitaine se réserva de prendre, sur la côte groënlandaise, les chiens nécessaires au tirage des traîneaux.

Tout l'équipage fut employé à ces préparatifs et déploya une grande activité. Les matelots Aupic, Gervique et Gradlin suivaient avec empressement les conseils du timonier Penellan, qui, dès ce moment, les engagea à ne point s'habituer aux vêtements de laine, quoique la température fût déjà basse sous ces latitudes, situées au-dessus du cercle polaire.

Penellan observait, sans en rien dire, les moindres actions d'André Vasling. Cet homme, Hollandais d'origine, venait on ne sait d'où, et, bon marin du reste, il avait fait deux voyages à bord de *la Jeune-Hardie*. Penellan ne pouvait encore lui rien reprocher, si ce n'est d'être trop empressé auprès de Marie, mais il le surveillait de près.

Grâce à l'activité de l'équipage, le brick fut armé vers le 16 juillet, quinze jours après son arrivée à Bodoë. C'était alors l'époque favorable pour tenter des explorations dans les mers arctiques. Le dégel s'opérait depuis deux mois, et les recherches pouvaient être poussées plus avant. *La Jeune-Hardie* appareilla donc et se dirigea sur le cap Brewster, situé sur la côte orientale du Groënland, par le soixante-dixième degré de latitude.

IV

DANS LES PASSES

Vers le 23 juillet, un reflet, élevé au-dessus de la mer, annonça les premiers bancs de glaces qui, sortant alors du détroit de Davis, se précipitaient dans l'Océan. À partir de ce moment, une surveillance très-active fut recommandée aux vigies, car il importait de ne point se heurter à ces masses énormes.

L'équipage fut divisé en deux quarts: le premier fut composé de Fidèle Misonne, de Gradlin et de Gervique; le second, d'André Vasling, d'Aupic et de Penellan. Ces quarts ne devaient durer que deux heures, car sous ces froides régions la force de l'homme est diminuée de moitié. Bien que *la Jeune-Hardie* ne fût encore que par le soixante-troisième degré de latitude, le thermomètre marquait déjà neuf degrés centigrades au-dessous de zéro.

La pluie et la neige tombaient souvent en abondance. Pendant les éclaircies, quand le vent ne soufflait pas trop violemment, Marie demeurait sur le pont, et ses yeux s'accoutumaient à ces rudes scènes des mers polaires.

Le 1er août, elle se promenait à l'arrière du brick et causait avec son oncle, André Vasling et Penellan. *La Jeune-Hardie* entrait alors dans une passe large de trois milles, à travers laquelle des trains de glaçons brisés descendaient rapidement vers le sud.

«Quand apercevrons-nous la terre? demanda la jeune fille.

—Dans trois ou quatre jours au plus tard, répondit Jean Cornbutte.

—Mais y trouverons-nous de nouveaux indices du passage de mon pauvre Louis?

—Peut-être, ma fille, mais je crains bien que nous ne soyons encore loin du terme de notre voyage. Il est à craindre que le *Froöern* n'ait été entraîné plus au nord!

—Cela doit être, ajouta André Vasling, car cette bourrasque qui nous a séparés du navire norvégien a duré trois jours, et en trois jours un navire fait bien de la route, quand il est désemparé au point de ne pouvoir résister au vent!

—Permettez-moi de vous dire, monsieur Vasling, riposta Penellan, que c'était au mois d'avril, que le dégel n'était pas commencé alors, et que, par conséquent, le *Froöern* a dû être arrêté promptement par les glaces ...

—Et sans doute brisé en mille pièces, répondit le second, puisque son équipage ne pouvait plus manoeuvrer!

—Mais ces plaines de glaces, répondit Penellan, lui offraient un moyen facile de gagner la terre, dont il ne pouvait être éloigné.

—Espérons, dit Jean Cornbutte en interrompant une discussion qui se renouvelait journellement entre le second et le timonier. Je crois que nous verrons la terre avant peu.

—La voilà! s'écria Marie. Voyez ces montagnes!

—Non, mon enfant, répondit Jean Cornbutte. Ce sont des montagnes de glaces, les premières que nous rencontrons. Elles nous broieraient comme du verre, si nous nous laissions prendre entre elles. Penellan et Vasling, veillez à la manoeuvre.»

Ces masses flottantes, dont plus de cinquante apparaissaient alors à l'horizon, se rapprochèrent peu à peu du brick. Penellan prit le gouvernail, et Jean Cornbutte, monté sur les barres du petit perroquet, indiqua la route à suivre.

Vers le soir, le brick fut tout à fait engagé dans ces écueils mouvants, dont la force d'écrasement est irrésistible. Il s'agissait alors de traverser cette flotte de montagnes, car la prudence commandait de se porter en avant. Une autre difficulté s'ajoutait à ces périls: on ne pouvait constater utilement la direction du navire, tous les points environnants se déplaçant sans cesse et n'offrant aucune perspective stable. L'obscurité s'augmenta bientôt avec le brouillard. Marie descendit dans sa cabine, et, sur l'ordre du capitaine, les huit hommes de l'équipage durent rester sur le pont. Ils étaient armés de longues gaffes garnies de pointes de fer, pour préserver le navire du choc des glaces.

La Jeune-Hardie entra bientôt dans une passe si étroite, que souvent l'extrémité de ses vergues fut froissée par les montagnes en dérive, et que ses bouts-dehors durent être rentrés. On fut même obligé d'orienter la grande vergue à toucher les haubans. Heureusement, cette mesure ne fit rien perdre au brick de sa vitesse, car le vent ne pouvait atteindre que les voiles supérieures, et celles-ci suffirent à le pousser rapidement. Grâce à la finesse de sa coque, il s'enfonça dans ces vallées qu'emplissaient des tourbillons de pluie, tandis que les glaçons s'entrechoquaient avec de sinistres craquements.

Jean Cornbutte redescendit sur le pont. Ses regards ne pouvaient percer les ténèbres environnantes. Il devint nécessaire de carguer les voiles hautes, car le navire menaçait de toucher, et, dans ce cas, il eût été perdu.

«Maudit voyage! grommelait André Vasling au milieu des matelots de l'avant, qui, la gaffe en main, évitaient les chocs les plus menaçants.

—Le fait est que si nous en échappons, nous devrons une belle chandelle à Notre-Dame des Glaces! répondit Aupic.

—Qui sait ce qu'il y a de montagnes flottantes à traverser encore? ajouta le second.

—Et qui se doute de ce que nous trouverons derrière? reprit le matelot.

—Ne cause donc pas tant, bavard, dit Gervique, et veille à ton bord. Quand nous serons passés, il sera temps de grogner! Gare à ta gaffe!»

En ce moment, un énorme bloc de glace, engagé dans l'étroite passe que suivait *la Jeune-Hardie*, filait rapidement à contre-bord, et il parut impossible de l'éviter, car elle barrait toute la largeur du chenal, et le brick se trouvait dans l'impossibilité de virer.

«Sens-tu la barre? demanda Jean Cornbutte à Penellan.

—Non, capitaine! Le navire ne gouverne plus!

—Ohé! garçons, cria le capitaine à son équipage, n'ayez pas peur, et arcboutez solidement vos gaffes contre le plat-bord!»

Le bloc avait soixante pieds de haut à peu près, et s'il se jetait sur le brick, le brick était broyé. Il y eut un indéfinissable moment d'angoisse, et l'équipage reflua vers l'arrière, abandonnant son poste, malgré les ordres du capitaine.

Mais au moment où ce bloc n'était plus qu'à une demi-encablure de *la Jeune Hardie*, un bruit sourd se fit entendre, et une véritable trombe d'eau tomba d'abord sur l'avant du navire, qui s'éleva ensuite sur le dos d'une vague énorme.

Un cri de terreur fut jeté par tous les matelots; mais quand leurs regards se portèrent vers l'avant, le bloc avait disparu, la passe était libre, et au delà, une immense plaine d'eau, éclairée par les derniers rayons du jour, assurait une facile navigation.

«Tout est pour le mieux! s'écria Penellan. Orientons nos huniers et notre misaine!»

Un phénomène, très-commun dans ces parages, venait de se produire. Lorsque ces masses flottantes se détachent les unes des autres à l'époque du dégel, elles voguent dans un équilibre parfait; mais en arrivant dans l'Océan, où l'eau est relativement plus chaude, elles ne tardent pas à se miner à leur base, qui se fond peu à peu et qui d'ailleurs est ébranlée par le choc des autres glaçons. Il vient donc un moment où le centre de gravité de ces masses se trouve déplacé, et alors elles culbutent entièrement. Seulement, si ce bloc se fût retourné deux minutes plus tard, il se précipitait sur le brick et l'effondrait dans sa chute.

V

L'ÎLE LIVERPOOL

Le brick voguait alors dans une mer presque entièrement libre. À l'horizon seulement, une lueur blanchâtre, sans mouvement cette fois, indiquait la présence de plaines immobiles.

Jean Cornbutte se dirigeait toujours sur le cap Brewster, et s'approchait déjà des régions où la température est excessivement froide, car les rayons du soleil n'y arrivent que très-affaiblis par leur obliquité.

Le 3 août, le brick se retrouva en présence de glaces immobiles et unies entre elles. Les passes n'avaient souvent qu'une encâblure de largeur, et la *Jeune-Hardie* était forcée de faire mille détours qui la présentaient parfois debout au vent.

Penellan s'occupait avec un soin paternel de Marie, et, malgré le froid, il l'obligeait à venir tous les jours passer deux ou trois heures sur le pont, car l'exercice devenait une des conditions indispensables de la santé.

Le courage de Marie, d'ailleurs, ne faiblissait pas. Elle réconfortait même les matelots du brick par ses paroles, et tous éprouvaient pour elle une véritable adoration. André Vasling se montrait plus empressé que jamais, et il recherchait toutes les occasions de s'entretenir avec elle; mais la jeune fille, par une sorte de pressentiment, n'accueillait ses services qu'avec une certaine froideur. On comprend aisément que l'avenir, bien plus que le présent, était l'objet des conversations d'André Vasling, et qu'il ne cachait pas le peu de probabilités qu'offrait le sauvetage des naufragés. Dans sa pensée, leur perte était maintenant un fait accompli, et la jeune fille devait dès lors remettre entre les mains de quelque autre le soin de son existence.

Cependant, Marie n'avait pas encore compris les projets d'André Vasling, car, au grand ennui de ce dernier ces conversations ne pouvaient se prolonger. Penellan trouvait toujours moyen d'intervenir et de détruire l'effet des propos d'André Vasling par les paroles d'espoir qu'il faisait entendre.

Marie, d'ailleurs, ne demeurait pas inoccupée. D'après les conseils du timonier, elle prépara ses habits d'hiver, et il fallut qu'elle changeât tout à fait son accoutrement. La coupe de ses vêtements de femme ne convenait pas sous ces latitudes froides. Elle se fit donc une espèce de pantalon fourré, dont les pieds étaient garnis de peau de phoque, et ses jupons étroits ne lui vinrent plus qu'à mi-jambe, afin de pas être en contact avec ces couches de neige, dont l'hiver allait couvrir les plaines de glace. Une mante en fourrure, étroitement fermée à la taille et garnie d'un capuchon, lui protégea le haut du corps.

Dans l'intervalle de leurs travaux, les hommes de l'équipage se confectionnèrent aussi des vêtements capables de les abriter du froid. Ils firent en grande quantité de hautes bottes en peau de phoque, qui devaient leur permettre de traverser impunément les neiges pendant leurs voyages d'exploration. Ils travaillèrent ainsi tout le temps que dura cette navigation dans les passes.

André Vasling, très-adroit tireur, abattit plusieurs fois des oiseaux aquatiques, dont les bandes innombrables voltigeaient autour du navire. Une espèce d'eiderduks et des ptarmigans fournirent à l'équipage une chair excellente, qui le reposa des viandes salées.

Enfin le brick, après mille détours, arriva en vue du cap Brewster. Une chaloupe fut mise à la mer. Jean Cornbutte et Penellan gagnèrent la côte, qui était absolument déserte.

Aussitôt, le brick se dirigea sur l'île Liverpool, découverte, en 1821, par le capitaine Scoresby, et l'équipage poussa des acclamations, en voyant les naturels accourir sur la plage. Les communications s'établirent aussitôt, grâce à quelques mots de leur langue que possédait Penellan et à quelques phrases usuelles qu'eux-mêmes avaient apprises des baleiniers qui fréquentaient ces parages.

Ces Groënlandais étaient petits et trapus; leur taille ne dépassait pas quatre pieds dix pouces; ils avaient le teint rougeâtre, la face ronde et le front bas; leurs cheveux, plats et noirs, retombaient sur leur dos; leurs dents étaient gâtées, et ils paraissaient affectés de cette sorte de lèpre particulière aux tribus ichthyophages.

En échange de morceaux de fer et de cuivre, dont ils sont extrêmement avides, ces pauvres gens apportaient des fourrures d'ours, des peaux de veaux marins, de chiens marins, de loups de mer et de tous ces animaux généralement compris sous le nom de phoques. Jean Cornbutte obtint à très-bas prix ces objets, qui allaient devenir pour lui d'une si grande utilité.

Le capitaine fit alors comprendre aux naturels qu'il était à la recherche d'un navire naufragé, et il leur demanda s'ils n'en avaient pas quelques nouvelles. L'un d'eux traça immédiatement sur la neige une sorte de navire et indiqua qu'un bâtiment de cette espèce avait été, il y a trois mois, emporté dans la direction du nord; il indiqua aussi que le dégel et la rupture des champs de glaces les avaient empêchés d'aller à sa découverte, et, en effet, leurs pirogues fort légères, qu'ils manoeuvrent à la pagaye, ne pouvaient tenir la mer dans ces conditions.

Ces nouvelles, quoique imparfaites, ramenèrent l'espérance dans le coeur des matelots, et Jean Cornbutte n'eut pas de peine à les entraîner plus avant dans la mer polaire.

Avant de quitter l'île Liverpool, le capitaine fit emplette d'un attelage de six chiens esquimaux qui se furent bientôt acclimatés à bord. Le navire leva l'ancre le 10 août au matin, et, par une forte brise, il s'enfonça dans les passes du nord.

On était alors parvenu aux plus longs jours de l'année, c'est-à-dire que, sous ces latitudes élevées, le soleil, qui ne se couchait pas, atteignait le plus haut point des spirales qu'il décrivait au-dessus de l'horizon.

Cette absence totale de nuit n'était pourtant pas très-sensible, car la brume, la pluie et la neige entouraient parfois le navire de véritables ténèbres.

Jean Cornbutte, décidé à aller aussi avant que possible, commença à prendre ses mesures d'hygiène. L'entrepont fut parfaitement clos, et chaque matin seulement on prit soin d'en renouveler l'air par des courants. Les poêles furent installés, et les tuyaux disposés de façon à donner le plus de chaleur possible. On recommanda aux hommes de l'équipage de ne porter qu'une chemise de laine par-dessus leur chemise de coton, et de fermer hermétiquement leur casaque de peau. Du reste, les feux ne furent pas encore allumés, car il importait de réserver les provisions de bois et de charbon de terre pour les grands froids.

Les boissons chaudes, telles que le café et le thé, furent distribuées régulièrement aux matelots matin et soir, et comme il était utile de se nourrir de viandes, on fit la chasse aux canards et aux sarcelles, qui abondent dans ces parages.

Jean Cornbutte installa aussi, au sommet du grand mât, «un nid de corneilles,» sorte de tonneau défoncé par un bout, dans lequel se tint constamment une vigie pour observer les plaines de glace.

Deux jours après que le brick eut perdu de vue l'île Liverpool, la température se refroidit subitement sous l'influence d'un vent sec. Quelques indices de l'hiver furent aperçus. *La Jeune-Hardie* n'avait pas un moment à perdre, car bientôt la route devait lui être absolument fermée. Elle s'avança donc à travers les passes que laissaient entre elles des plaines ayant jusqu'à trente pieds d'épaisseur.

Le 3 septembre au matin, *la Jeune-Hardie* parvint à la hauteur de la baie de Gaël-Hamkes. La terre se trouvait alors à trente milles sous le vent. Ce fut la première fois que le brick s'arrêta devant un banc de glace qui ne lui offrait aucun passage et gui mesurait au moins un mille de largeur. Il fallut donc employer les scies pour couper la glace. Penellan, Aupic, Gradlin et Turquiette furent préposés à la manoeuvre de ces scies, qu'on avaient installées en dehors du navire. Le tracé des coupures fut fait de telle sorte que le courant pût emporter les glaçons détachés du banc. Tout l'équipage réuni mit près de vingt heures à ce travail. Les hommes éprouvaient une peine extrême à se maintenir sur la glace; souvent ils étaient forcés de se mettre dans l'eau jusqu'à mi-corps, et leurs vêtements de peau de phoque ne les préservaient que très-imparfaitement de l'humidité.

D'ailleurs, sous ces latitudes élevées, tout travail excessif est bientôt suivi d'une fatigue absolue, car la respiration manque promptement, et le plus robuste est forcé de s'arrêter souvent.

Enfin la navigation redevint libre, et le brick fut remorqué au delà du banc qui l'avait si longtemps retenu.

VI

LE TREMBLEMENT DE GLACES

Pendant quelques jours encore, *la Jeune-Hardie* lutta contre d'insurmontables obstacles. L'équipage eut presque toujours la scie à la main, et souvent même on fut forcé d'employer la poudre pour faire sauter les énormes blocs de glaces qui coupaient le chemin.

Le 12 septembre, la mer n'offrit plus qu'une plaine solide, sans issue, sans passe, qui entourait le navire de tous côtés, de sorte qu'il ne pouvait ni avancer ni reculer. La température se maintenait, en moyenne, à seize degrés au-dessous de zéro. Le moment de l'hivernage était donc venu, et la saison d'hiver arrivait avec ses souffrances et ses dangers.

La Jeune-Hardie se trouvait alors à peu près par le vingt et unième degré de longitude ouest et le soixante-seizième degré de latitude nord, à l'entrée de la baie de Gaël-Hamkes.

Jean Cornbutte fit ses premiers préparatifs d'hivernage. Il s'occupa d'abord de trouver une crique dont la position mît son navire à l'abri des coups de vent et des grandes débâcles. La terre, qui devait être à une dizaine de milles dans l'ouest, pouvait seule lui offrir de sûrs abris, qu'il résolut d'aller reconnaître.

Le 12 septembre, il se mit en marche, accompagné d'André Vasling, de Penellan et des deux matelots Gradlin et Turquiette. Chacun portait des provisions pour deux jours, car il n'était pas probable que leur excursion se prolongeât au delà, et ils s'étaient munis de peaux de buffle, sur lesquelles ils devaient se coucher.

La neige, qui avait tombé en grande abondance et dont la surface n'était pas gelée, les retarda considérablement. Ils enfonçaient souvent jusqu'à mi-corps, et ne pouvaient, d'ailleurs, s'avancer qu'avec une extrême prudence, s'ils ne voulaient pas tomber dans les crevasses. Penellan, qui marchait en tête, sondait soigneusement chaque dépression du sol avec son bâton ferré.

Vers les cinq heures du soir, la brume commença à s'épaissir, et la petite troupe dut s'arrêter. Penellan s'occupa de chercher un glaçon qui pût les abriter du vent, et, après s'être un peu restaurés, tout en regrettant de ne pas avoir quelque chaude boisson, ils étendirent leur peau de buffle sur la neige, s'en enveloppèrent, se serrèrent les uns près des autres, et le sommeil l'emporta bientôt sur la fatigue.

Le lendemain matin, Jean Cornbutte et ses compagnons étaient ensevelis sous une couche de neige de plus d'un pied d'épaisseur. Heureusement leurs peaux, parfaitement imperméables, les avaient préservés, et cette neige avait même contribué à conserver leur propre chaleur, qu'elle empêchait de rayonner au dehors.

Jean Cornbutte donna aussitôt le signal du départ, et, vers midi, ses compagnons et lui aperçurent enfin la côte, qu'ils eurent d'abord quelque peine à distinguer. De hauts blocs de glaces, taillés perpendiculairement, se dressaient sur le rivage; leurs sommets variés, de toutes formes et de toutes tailles, reproduisaient en grand les phénomènes de la cristallisation. Des myriades d'oiseaux aquatiques s'envolèrent à l'approche des marins, et les phoques, qui étaient étendus paresseusement sur la glace, plongèrent avec précipitation.

«Ma foi! dit Penellan, nous ne manquerons ni de fourrures ni de gibier!

—Ces animaux-là, répondit Jean Cornbutte, ont tout l'air d'avoir reçu déjà la visite des hommes, car, dans des parages entièrement inhabités, ils ne seraient pas si sauvages.

—Il n'y a que des Groënlandais qui fréquentent ces terres, répliqua André Vasling.

—Je ne vois cependant aucune trace de leur passage, ni le moindre campement, ni la moindre hutte! répondit Penellan, en gravissant un pic élevé.—Ohé! capitaine, s'écria-t-il, venez donc! J'aperçois une pointe de terre qui nous préservera joliment des vents du nord-est.

—Par ici, mes enfants!» dit Jean Cornbutte.

Ses compagnons le suivirent, et tous rejoignirent bientôt Penellan. Le marin avait dit vrai. Une pointe de terre assez élevée s'avançait comme un promontoire, et, en se recourbant vers la côte, elle formait une petite haie d'un mille de profondeur au plus. Quelques glaces mouvantes, brisées par cette pointe, flottaient au milieu, et la mer, abritée contre les vents les plus froids, ne se trouvait pas encore entièrement prise.

Ce lieu d'hivernage était excellent. Restait à y conduire le navire. Or, Jean Cornbutte remarqua que la plaine de glace avoisinante était d'une grande épaisseur, et il paraissait fort difficile, dès lors, de creuser un canal pour conduire le brick à sa destination. Il fallait donc chercher quelque autre crique, mais ce fut en vain que Jean Cornbutte s'avança vers le nord. La côte restait droite et abrupte sur une grande longueur, et, au delà de la pointe, elle se trouvait directement exposée aux coups de vent de l'est. Cette circonstance déconcerta le capitaine, d'autant plus qu'André Vasling fit valoir combien la situation était mauvaise en s'appuyant sur des raisons péremptoires. Penellan eut beaucoup de peine à se prouver à lui-même que, dans cette conjecture, tout fût pour le mieux.

Le brick n'avait donc plus que la chance de trouver un lieu d'hivernage sur la partie méridionale de la côte. C'était revenir sur ses pas, mais il n'y avait pas à hésiter. La petite troupe reprit donc le chemin du navire, et marcha rapidement, car les vivres commençaient à manquer. Jean Cornbutte chercha, tout le long de la route, quelque passe qui fût praticable, ou au moins quelque fissure qui permit de creuser un canal à travers la plaine de glace, mais en vain.

Vers le soir, les marins arrivèrent près du glaçon où ils avaient campé pendant l'autre nuit. La journée s'était passée sans neige, et ils purent encore reconnaître l'empreinte de leurs corps sur la glace. Tout était donc disposé pour leur coucher, et ils s'étendirent sur leur peau de buffle.

Penellan, très-contrarié de l'insuccès de son exploration, dormait assez mal, quand, dans un moment d'insomnie, son attention fut attirée par un roulement sourd. Il prêta attentivement l'oreille à ce bruit, et ce roulement lui parut tellement étrange, qu'il poussa du coude Jean Cornbutte.

«Qu'est-ce que c'est? demanda celui-ci, qui, suivant l'habitude du marin, eut l'intelligence aussi rapidement éveillée que le corps.

—Écoutez, capitaine!» répondit Penellan.

Le bruit augmentait avec une violence sensible.

«Ce ne peut être le tonnerre sous une latitude si élevée! dit Jean Cornbutte en se levant.

—Je crois que nous avons plutôt affaire à une bande d'ours blancs! répondit Penellan.

—Diable! nous n'en avons pas encore aperçu, cependant.

—Un peu plus tôt, un peu plus tard, répondit Penellan, nous devons nous attendre à leur visite. Commençons donc par les bien recevoir.»

Penellan, armé d'un fusil, gravit lestement le bloc qui les abritait. L'obscurité étant fort épaisse et le temps couvert, il ne put rien découvrir; mais un incident nouveau lui prouva bientôt que la cause de ce bruit ne venait pas des environs. Jean Cornbutte le rejoignit, et ils remarquèrent avec effroi que ce roulement, dont l'intensité réveilla leurs compagnons, se produisait sous leurs pieds.

Un péril d'une nouvelle sorte venait les menacer. À ce bruit, qui ressembla bientôt aux éclats du tonnerre, se joignit un mouvement d'ondulation très-prononcé du champ de glaces. Plusieurs matelots perdirent l'équilibre et tombèrent.

«Attention! cria Penellan.

—Oui! lui répondit-on.

—Turquiette! Gradlin! Ou êtes-vous?

—Me voici! répondit Turquiette, secouant la neige dont il était couvert.

—Par ici, Vasling, cria Jean Cornbutte au second. Et Gradlin?

—Présent, capitaine!... Mais nous sommes perdus! s'écria Gradlin avec effroi.

—Eh non! fit Penellan. Nous sommes peut-être sauvés!»

À peine achevait-il ces mots, qu'un craquement effroyable se fit entendre. La plaine de glace se brisa tout entière, et les matelots durent se cramponner au bloc qui oscillait auprès d'eux. En dépit des paroles du timonier, ils se trouvaient dans une position excessivement périlleuse, car un tremblement venait de se produire. Les glaçons venaient «de lever l'ancre», suivant l'expression des marins. Ce mouvement dura près de deux minutes, et il était à craindre qu'une crevasse ne s'ouvrit sous les pieds même des malheureux matelots! Aussi attendirent-ils le jour au milieu de transes continuelles, car ils ne pouvaient, sous peine de périr, se hasarder à faire un pas, et ils demeurèrent étendus tout de leur long pour éviter d'être engloutis.

Aux premières lueurs du jour, un tableau tout différent s'offrit à leurs yeux. La vaste plaine, unie la veille, se trouvait disjointe en mille endroits, et les flots, soulevés par quelque commotion sous-marine, avaient brisé la couche épaisse qui les recouvrait.

La pensée de son brick se présenta à l'esprit de Jean Cornbutte.

«Mon pauvre navire! s'écria-t-il. Il doit être perdu!»

Le plus sombre désespoir commença à se peindre sur la figure de ses compagnons. La perte du navire entraînait inévitablement leur mort prochaine.

«Courage! mes amis, reprit Penellan. Songez donc que le tremblement de cette nuit, nous a ouvert un chemin à travers les glaces, qui permettra de conduire notre brick à la baie d'hivernage! Eh! tenez, je ne me trompe pas! *la Jeune-Hardie*, la voilà, plus rapprochée de nous d'un mille!»

Tous se précipitèrent en avant, et si imprudemment, que Turquiette glissa dans une fissure et eût infailliblement péri, si Jean Cornbutte ne l'eût rattrapé par son capuchon. Il en fut quitte pour un bain un peu froid.

Effectivement, le brick flottait à deux milles au vent. Après des peines infinies, la petite troupe l'atteignit. Le brick était en bon état; mais son gouvernail, que l'on avait négligé d'enlever, avait été brisé par les glaces.

VII

LES INSTALLATIONS DE L'HIVERNAGE

Penellan avait encore une fois raison: tout était pour le mieux, et ce tremblement de glaces avait ouvert au navire une route praticable jusqu'à la baie. Les marins n'eurent plus qu'à disposer habilement des courants pour y diriger les glaçons de manière à se frayer une route.

Le 19 septembre, le brick fut enfin établi, à deux encâblures de terre, dans sa baie d'hivernage, et solidement ancré sur un bon fond. Dès le jour suivant, la glace s'était déjà formée autour de sa coque; bientôt elle devint assez forte pour supporter le poids d'un homme, et la communication put s'établir directement avec la terre.

Suivant l'habitude des navigateurs arctiques, le gréement resta tel qu'il était; les voiles furent soigneusement repliées sur les vergues et garnies de leur étui, et le nid de corneilles demeura en place, autant pour permettre d'observer au loin que pour attirer l'attention sur le navire.

Déjà le soleil s'élevait à peine au-dessus de l'horizon. Depuis le solstice de juin, les spirales qu'il avait décrites s'étaient de plus en plus abaissées, et bientôt il devait disparaître tout à fait.

L'équipage se hâta de faire ses préparatifs. Penellan en fut le grand ordonnateur. La glace se fut bientôt épaissie autour du navire, et il était à craindre que sa pression ne fût dangereuse; mais Penellan attendit que, par suite du va-et-vient des glaçons flottants et de leur adhérence, elle eût atteint une vingtaine de pieds d'épaisseur; il la fit alors tailler en biseau autour de la coque, si bien qu'elle se rejoignit sous le navire, dont elle prit la forme; enclavé dans un lit, le brick n'eut plus à craindre dès lors la pression des glaces, qui ne pouvaient faire aucun mouvement.

Les marins élevèrent ensuite le long des préceintes, et jusqu'à la hauteur des bastingages, une muraille de neige de cinq à six pieds d'épaisseur, qui ne tarda pas à se durcir comme un roc. Cette enveloppe ne permettait pas à la chaleur intérieure de rayonner au dehors. Une tente en toile, recouverte de peaux et hermétiquement fermée, fut tendue sur toute la longueur du pont et forma une espèce de promenoir pour l'équipage.

On construisit également a terre un magasin de neige, dans lequel on entassa les objets qui embarrassaient le navire. Les cloisons des cabines furent démontées, de manière à ne plus former qu'une vaste chambre à l'avant comme à l'arrière. Cette pièce unique était, d'ailleurs, plus facile à réchauffer, car la glace et l'humidité trouvaient moins de coins pour s'y blottir. Il fut également plus aisé de l'aérer convenablement, au moyen de manches en toile qui s'ouvraient au dehors.

Chacun déploya une extrême activité dans ces divers préparatifs, et, vers le 25 septembre, ils furent entièrement terminés. André Vasling ne s'était pas montré le moins habile à ces divers aménagements. Il déploya surtout un empressement trop grand à s'occuper de la jeune fille, et si celle-ci, toute à la pensée de son pauvre Louis, ne s'en aperçut pas, Jean Cornbutte comprit bientôt ce qui en était. Il en causa avec Penellan; il se rappela plusieurs circonstances qui l'éclairèrent tout à fait sur les intentions de son second: André Vasling aimait Marie et comptait la demander à son oncle, dès qu'il ne serait plus permis de douter de la mort des naufragés; on s'en retournerait alors à Dunkerque, et André Vasling s'accommoderait très-bien d'épouser une fille jolie et riche, qui serait alors l'unique héritière de Jean Cornbutte.

Seulement, dans son impatience, André Vasling manqua souvent d'habileté; il avait plusieurs fois déclaré inutiles les recherches entreprises pour retrouver les naufragés, et souvent un indice nouveau venait lui donner un démenti, que Penellan prenait du plaisir à faire ressortir. Aussi le second détestait-il cordialement le timonier, qui le lui rendait avec du retour. Ce dernier ne craignait qu'une chose, c'était qu'André Vasling ne parvint à jeter quelque germe de dissension dans l'équipage, et il engagea Jean Cornbutte à ne lui répondre qu'évasivement à la première occasion.

Lorsque les préparatifs d'hivernage furent terminés, le capitaine prit diverses mesures propres à conserver la santé de son équipage. Tous les matins, les hommes eurent ordre d'aérer les logements et d'essuyer soigneusement les parois intérieures, pour les débarrasser de l'humidité de la nuit. Ils reçurent, matin et soir, du thé ou du café brûlant, ce qui est un des meilleurs cordiaux à employer contre le froid; puis ils furent divisés en quarts de chasseurs, qui devaient, autant que possible, procurer chaque jour une nourriture fraîche à l'ordinaire du bord.

Chacun dut prendre aussi, tous les jours, un exercice salutaire, et ne pas s'exposer sans mouvement à la température, car, par des froids de trente degrés au-dessous de zéro, il pouvait arriver que quelque partie du corps se gelât subitement. Il fallait, dans ce cas, avoir recours aux frictions de neige, qui seules pouvaient sauver la partie malade.

Penellan recommanda fortement aussi l'usage des ablutions froides, chaque matin. Il fallait un certain courage pour se plonger les mains et la figure dans la neige, que l'on faisait dégeler à l'intérieur. Mais Penellan donna bravement l'exemple, et Marie ne fut pas la dernière à l'imiter.

Jean Cornbutte n'oublia pas non plus les lectures et les prières, car il s'agissait de ne pas laisser dans le coeur place au désespoir ou à l'ennui. Rien n'est plus dangereux dans ces latitudes désolées.

Le ciel, toujours sombre, remplissait l'âme de tristesse. Une neige épaisse, fouettée par des vents violents, ajoutait à l'horreur accoutumée. Le soleil allait disparaître bientôt. Si les nuages n'eussent pas été amoncelés sur la tête des navigateurs, ils auraient pu jouir de la lumière de la lune, qui allait devenir véritablement leur soleil pendant cette longue nuit des pôles; mais, avec ces vents d'ouest, la neige ne cessa pas de tomber. Chaque matin, il fallait déblayer les abords du navire et tailler de nouveau dans la glace un escalier qui permît de descendre sur la plaine. On y réussissait facilement avec les couteaux à neige; une fois les marches découpées, on jetait un peu d'eau à leur surface, et elles se durcissaient immédiatement.

Penellan fit aussi creuser un trou dans la glace, non loin du navire. Tous les jours on brisait la nouvelle croûte qui se formait à sa partie supérieure, et l'eau que l'on y puisait à une certaine profondeur était moins froide qu'à la surface.

Tous ces préparatifs durèrent environ trois semaines. Il fut alors question de pousser les recherches plus avant. Le navire était emprisonné pour six ou sept mois, et le prochain dégel pouvait seul lui ouvrir une nouvelle route à travers les glaces. Il fallait donc profiter de cette immobilité forcée pour diriger des explorations dans le nord.

VIII

PLAN D'EXPLORATIONS

Le 9 octobre, Jean Cornbutte tint conseil pour dresser le plan de ses opérations, et, afin que la solidarité augmentât le zèle et le courage de chacun, il y admit tout l'équipage. La carte en main, il exposa nettement la situation présente.

La côte orientale du Groënland s'avance perpendiculairement vers le nord. Les découvertes des navigateurs ont donné la limite exacte de ces parages. Dans cet espace de cinq cents lieues, qui sépare le Groënland du Spitzberg, aucune terre n'avait été encore reconnue. Une seule île, l'île Shannon, se trouvait à une centaine de milles dans le nord de la baie de Gaël-Hamkes, où *la Jeune-Hardie* allait hiverner.

Si donc le navire norvégien, suivant toutes les probabilités, avait été entraîné dans cette direction, en supposant qu'il n'eût pu atteindre l'île Shannon, c'était là que Louis Cornbutte et les naufragés avaient dû chercher asile pour l'hiver.

Cet avis prévalut, malgré l'opposition d'André Vasling, et il fut décidé que l'on dirigerait les explorations du côté de l'île Shannon.

Les dispositions furent immédiatement commencées. On s'était procuré, sur la côte de Norwége, un traîneau fait à la manière des Esquimaux, construit en planches recourbées à l'avant et à l'arrière, et qui fût propre à glisser sur la neige et sur la glace. Il avait douze pieds de long sur quatre de large, et pouvait, en conséquence, porter des provisions pour plusieurs semaines au besoin. Fidèle Misonne l'eut bientôt mis en état, et il y travailla dans le magasin de neige, où ses outils avaient été transportés. Pour la première fois, on établit un poêle à charbon dans ce magasin, car tout travail y eût été impossible sans cela. Le tuyau du poêle sortait par un des murs latéraux, au moyen d'un trou percé dans la neige; mais il résultait un grave inconvénient de cette disposition, car la chaleur du tuyau faisait fondre peu à peu la neige à l'endroit où il était en contact avec elle, et l'ouverture s'agrandissait sensiblement. Jean Cornbutte imagina d'entourer cette portion du tuyau d'une toile métallique, dont la propriété est d'empêcher la chaleur de passer. Ce qui réussit complétement.

Pendant que Misonne travaillait au traîneau, Penellan, aidé de Marie, préparait les vêtements de rechange pour la route. Les bottes de peau de phoque étaient heureusement en grand nombre. Jean Cornbutte et André Vasling s'occupèrent des provisions; ils choisirent un petit baril d'esprit-de-vin, destiné à chauffer un réchaud portatif; des réserves de thé et de café furent prises en quantité suffisante; une petite caisse de biscuits, deux cents livres de pemmican et quelques gourdes d'eau-de-vie complétèrent la partie alimentaire. La chasse devait fournir chaque jour des provisions fraîches. Une certaine quantité de poudre fut divisée dans plusieurs sacs. La boussole, le sextant et la longue-vue furent mis à l'abri de tout choc.

Le 11 octobre, le soleil ne reparut pas au-dessus de l'horizon. On fut obligé d'avoir une lampe continuellement allumée dans le logement de l'équipage. Il n'y avait pas de temps à perdre, il fallait commencer les explorations, et voici pourquoi:

Au mois de janvier, le froid deviendrait tel qu'il ne serait plus possible de mettre le pied dehors, sans péril pour la vie. Pendant deux mois au moins, l'équipage serait condamné au casernement le plus complet; puis le dégel commencerait ensuite et se prolongerait jusqu'à l'époque où le navire devrait quitter les glaces. Ce dégel empêcherait forcément toute exploration. D'un autre côté, si Louis Cornbutte et ses compagnons existaient encore, il n'était pas probable qu'ils pussent résister aux rigueurs d'un hiver arctique. Il fallait donc les sauver auparavant, ou tout espoir serait perdu.

André Vasling savait tout cela mieux que personne. Aussi résolut-il d'apporter de nombreux obstacles à cette expédition.

Les préparatifs du voyage furent achevés vers le 20 octobre. Il s'agit alors de choisir les hommes qui en feraient partie. La jeune fille ne devait pas quitter la garde de Jean Cornbutte ou de Penellan. Or, ni l'un ni l'autre ne pouvaient manquer à la caravane.

La question fut donc de savoir si Marie pourrait supporter les fatigues d'un pareil voyage. Jusqu'ici elle avait passé par de rudes épreuves, sans trop en souffrir, car c'était une fille de marin, habituée dès son enfance aux fatigues de la mer, et vraiment Penellan ne s'effrayait pas de la voir, au milieu de ces climats affreux, luttant contre les dangers des mers polaires.

On décida donc, après de longues discussions, que la jeune fille accompagnerait l'expédition, et qu'il lui serait, au besoin, réservé une place dans la traîneau, sur lequel on construisit une petite butte en bois, hermétiquement fermée. Quant à Marie, elle fut au comble de ses voeux, car il lui répugnait d'être éloignée de ses deux protecteurs.

L'expédition fut donc ainsi formée: Marie, Jean Cornbutte, Penellan, André Vasling, Aupic et Fidèle Misonne. Alain Turquiette demeura spécialement chargé de la garde du brick, sur lequel restaient Gervique et Gradlin. De nouvelles provisions de toutes sortes furent emportées, car Jean Cornbutte, afin de pousser l'exploration aussi loin que possible, avait résolu de faire des dépôts le long de sa route, tous les sept ou huit jours de marche. Dès que le traîneau fut prêt, on le chargea immédiatement, et il fut recouvert d'une tente de peaux de buffle. Le tout formait un poids d'environ sept cents livres, qu'un attelage de cinq chiens pouvait aisément traîner sur la glace.

Le 22 octobre, suivant les prévisions du capitaine, un changement soudain se manifesta dans la température. Le ciel s'éclaircit, les étoiles jetèrent un éclat extrêmement vif, et la lune brilla au-dessus de l'horizon pour ne plus le quitter pendant une quinzaine de jours. Le thermomètre était descendu à vingt-cinq degrés au-dessous de zéro.

Le départ fut fixé au lendemain.

IX

LA MAISON DE NEIGE

Le 23 octobre, à onze heures du matin, par une belle lune, la caravane se mit en marche. Les précautions étaient prises, cette fois, de façon que le voyage pût se prolonger longtemps, s'il le fallait. Jean Cornbutte suivit la côte, en remontant vers le nord. Les pas des marcheurs ne laissaient aucune trace sur cette glace résistante. Aussi Jean Cornbutte fut-il obligé de se guider au moyen de points de repère qu'il choisit au loin; tantôt il marchait sur une colline toute hérissée de pics, tantôt sur un énorme glaçon que la pression avait soulevé au-dessus de la plaine.

À la première halte, après une quinzaine de milles, Penellan fit les préparatifs d'un campement. La tente fut adossée à un bloc de glaces. Marie n'avait pas trop souffert de ce froid rigoureux, car, par bonheur, la brise s'étant calmée, il était beaucoup plus supportable; mais, plusieurs fois, la jeune fille avait dû descendre de son traîneau pour empêcher que l'engourdissement n'arrêtât chez elle la circulation du sang. D'ailleurs, sa petite hutte, tapissée de peau par les soins de Penellan, offrait tout le confortable possible.

Quand la nuit, ou plutôt quand le moment du repos arriva, cette petite hutte fut transportée sous la tente, où elle servit de chambre à coucher à la jeune fille. Le repas du soir se composa de viande fraîche, de pemmican et de thé chaud. Jean Cornbutte, pour prévenir les funestes effets du scorbut, fit distribuer à tout son monde quelques gouttes de jus de citron. Puis, tous s'endormirent à la garde de Dieu.

Après huit heures de sommeil, chacun reprit son poste de marche. Un déjeuner substantiel fut fourni aux hommes et aux chiens, puis on partit. La glace, excessivement unie, permettait à ces animaux d'enlever le traîneau avec une grande facilité. Les hommes, quelquefois, avaient de la peine à le suivre.

Mais un mal dont plusieurs marins eurent bientôt à souffrir, ce fut l'éblouissement. Des ophthalmies se déclarèrent chez Aupic et Misonne. La lumière de la lune, frappant sur ces immenses plaines blanches, brûlait la vue et causait aux yeux une cuisson insupportable.

Il se produisait aussi un effet de réfraction excessivement curieux. En marchant, au moment où l'on croyait mettre le pied sur un monticule, on tombait plus bas, ce qui occasionnait souvent des chutes, heureusement sans gravité, et que Penellan tournait en plaisanteries. Néanmoins, il recommanda de ne jamais faire un pas sans sonder le sol avec le bâton ferré dont chacun était muni.

Vers le 1er novembre, dix jours après le départ, la caravane se trouvait à une cinquantaine de lieues dans le nord. La fatigue devenait extrême pour tout le monde. Jean Cornbutte éprouvait des éblouissements terribles, et sa vue s'altérait sensiblement. Aupic et Fidèle Misonne ne marchaient plus qu'en tâtonnant, car leurs yeux, bordés de rouge, semblaient brûlés par la réflexion blanche. Marie avait été préservée de ces accidents par suite de son séjour dans la hutte, qu'elle habitait le plus possible. Penellan, soutenu par un indomptable courage, résistait à toutes ces fatigues. Celui qui, au surplus, se portait le mieux et sur lequel ces douleurs, ce froid, cet éblouissement ne semblaient avoir aucune prise, c'était André Vasling. Son corps de fer était fait à toutes ces fatigues; il voyait alors avec plaisir le découragement gagner les plus robustes, et il prévoyait déjà le moment prochain où il faudrait revenir en arrière.

Or, le 1er novembre, par suite des fatigues, il devint indispensable de s'arrêter pendant un jour ou deux.

Dès que le lieu du campement fut choisi, on procéda à son installation. On résolut de construire une maison de neige, que l'on appuierait contre une des roches du promontoire. Fidèle Misonne en traça immédiatement les fondements, qui mesuraient quinze pieds de long sur cinq de large. Penellan, Aupic, Misonne, à l'aide de leurs couteaux, découpèrent de vastes blocs de glace qu'ils apportèrent au lieu désigné, et ils les dressèrent, comme des maçons eussent fait de murailles en pierre. Bientôt la paroi du fond fut élevée à cinq pieds de hauteur avec une épaisseur à peu près égale, car les matériaux ne manquaient pas, et il importait que l'ouvrage fût assez solide pour durer quelques jours. Les quatre murailles furent terminées en huit heures à peu près; une porte avait été ménagée du côté du sud, et la toile de la tente, qui fut posée sur ces quatre murailles, retomba du côté de la porte, qu'elle masqua. Il ne s'agissait plus que de recouvrir le tout de larges blocs, destinés à former le toit de cette construction éphémère.

Après trois heures d'un travail pénible, la maison fut achevée, et chacun s'y retira, en proie à la fatigue et au découragement. Jean Cornbutte souffrait au point de ne pouvoir faire un seul pas, et André Vasling exploita si bien sa douleur qu'il lui arracha la promesse de ne pas porter ses recherches plus avant dans ces affreuses solitudes.

Penellan ne savait plus à quel saint se vouer. Il trouvait indigne et lâche d'abandonner ses compagnons sur des présomptions sans portée. Aussi cherchait-il à les détruire, mais ce fut en vain.

Cependant, quoique le retour eût été décidé, le repos était devenu si nécessaire que, pendant trois jours, on ne fit aucun préparatif de départ.

Le 4 novembre, Jean Cornbutte commença à faire enterrer sur un point de la côte les provisions qui ne lui étaient pas nécessaires. Une marque indiqua le dépôt, pour le cas improbable où de nouvelles explorations l'entraîneraient de ce côté. Tous les quatre jours de marche, il avait laissé de semblables dépôts le long de sa route,—ce qui lui assurait des vivres pour le retour, sans qu'il eût la peine de les transporter sur son traîneau.

Le départ fut fixé a dix Heures du matin, le 5 novembre. La tristesse la plus profonde s'était emparée de la petite troupe. Marie avait peine à retenir ses larmes, en voyant son oncle tout découragé. Tant de souffrances inutiles! tant de travaux perdus! Penellan, lui, devenait d'une humeur massacrante; il donnait tout le monde au diable et ne cessait, à chaque occasion, de se fâcher contre la faiblesse et la lâcheté de ses compagnons, plus timides et plus fatigués, disait-il, que Marie, laquelle aurait été au bout du monde sans se plaindre.

André Vasling ne pouvait pas dissimuler le plaisir que lui causait cette détermination. Il se montra plus empressé que jamais près de la jeune fille, à laquelle il fit même espérer que de nouvelles recherches seraient entreprises après l'hiver, sachant bien qu'elles seraient alors trop tardives!

X

ENTERRÉS VIVANTS

La veille du départ, au moment du souper, Penellan était occupé à briser des caisses vides pour en fourrer les débris dans le poêle, quand il fut suffoqué tout à coup par une fumée épaisse. Au même moment, la maison de neige fut comme ébranlée par un tremblement de terre. Chacun poussa un cri de terreur, et Penellan se précipita au dehors.

Il faisait une obscurité complète. Une tempête effroyable, car ce n'était pas un dégel, éclatait dans ces parages. Des tourbillons de neige s'abattaient avec une violence extrême, et le froid était tellement excessif que le timonier sentit ses mains se geler rapidement. Il fut obligé de rentrer, après s'être vivement frotté avec de la neige.

«Voici la tempête, dit-il. Fasse le Ciel que notre maison résiste, car si l'ouragan la détruisait, nous serions perdus!»

En même temps que les rafales se déchaînaient dans l'air, un bruit effroyable se produisait sous le sol glacé; les glaçons, brisés à la pointe du promontoire, se heurtaient avec fracas et se précipitaient les uns sur les autres; le vent soufflait avec une telle force, qu'il semblait parfois que la maison entière se déplaçait; des lueurs phosphorescentes, inexplicables sous ces latitudes, couraient à travers le tourbillon des neiges.

«Marie, Marie! s'écria Penellan, en saisissant les mains de la jeune fille.

—Nous voilà mal pris! dit Fidèle Misonne.

—Et je ne sais si nous en réchapperons! répliqua Aupic.

—Quittons cette maison de neige! dit André Vasling.

—C'est impossible! répondit Penellan. Le froid est épouvantable au dehors, tandis que nous pourrons peut-être le braver en demeurant ici!

—Donnez-moi le thermomètre,» dit André Vasling.

Aupic lui passa l'instrument, qui marquait dix degrés au-dessous de zéro, à l'intérieur, bien que le feu fût allumé. André Vasling souleva la toile qui retombait devant l'ouverture et le glissa au dehors avec précipitation, car il eût été meurtri par des éclats de glace que le vent soulevait et qui se projetaient en une véritable grêle.

«Eh bien, monsieur Vasling, dit Penellan, voulez-vous encore sortir?... Vous voyez bien que c'est ici que nous sommes le plus en sûreté!

—Oui, ajouta Jean Cornbutte, et nous devons employer tous nos efforts à consolider intérieurement cette maison.

—Mais il est un danger, plus terrible encore, qui nous menace! dit André Vasling.

—Lequel? demanda Jean Cornbutte.

—C'est que le vent brise la glace sur laquelle nous reposons, comme il a brisé les glaçons du promontoire, et que nous soyons entraînés ou submergés!

—Cela me parait difficile, répondit Penellan, car il gèle de manière à glacer toutes les surfaces liquides!... Voyons quelle est la température.»

Il souleva la toile de manière à ne passer que le bras, et eut quelque peine à retrouver le thermomètre, au milieu de la neige; mais enfin il parvint à le saisir, et, l'approchant de la lampe, il dit:

«Trente-deux degrés au-dessous de zéro! C'est le plus grand froid que nous ayons éprouvé jusqu'ici!

—Encore dix degrés, ajouta André Vasling, et le mercure gèlera!»

Un morne silence suivit cette réflexion.

Vers huit heures du matin, Penellan essaya une seconde fois de sortir, pour juger de la situation. Il fallait, d'ailleurs, donner une issue à la fumée, que le vent avait plusieurs fois repoussée dans l'intérieur de la hutte. Le marin ferma très-hermétiquement ses vêtements, assura son capuchon sur sa tête au moyen d'un mouchoir, et souleva la toile.

L'ouverture était entièrement obstruée par une neige résistante. Penellan prit son bâton ferré et parvint à l'enfoncer dans cette masse compacte; mais la terreur glaça son sang, quand il sentit que l'extrémité de son bâton n'était pas libre et s'arrêtait sur un corps dur!

«Cornbutte! dit-il au capitaine, qui s'était approché de lui, nous sommes enterrés sous cette neige!

—Que dis-tu? s'écria Jean Cornbutte.

—Je dis que la neige s'est amoncelée et glacée autour de nous et sur nous, que nous sommes ensevelis vivants!

—Essayons de repousser cette masse de neige,» répondit le capitaine.

Les deux amis s'arcboutèrent contre l'obstacle qui obstruait la porte, mais il ne purent le déplacer. La neige formait un glaçon qui avait plus de cinq pieds d'épaisseur et ne faisait qu'un avec la maison.

Jean Cornbutte ne put retenir un cri, qui réveilla Misonne et André Vasling. Un juron éclata entre les dents de ce dernier, dont les traits se contractèrent.

En ce moment, une fumée plus épaisse que jamais reflua à l'intérieur, car elle ne pouvait trouver aucune issue.

«Malédiction! s'écria Misonne. Le tuyau du poêle est bouché par la glace!»

Penellan reprit son bâton et démonta le poêle, après avoir jeté de la neige sur les tisons pour les éteindre, ce qui produisit une fumée telle, que l'on pouvait à peine apercevoir la lueur de la lampe; puis il essaya, avec son bâton, de débarrasser l'orifice, mais il ne rencontra partout qu'un roc de glace!

Il ne fallait plus attendre qu'une fin affreuse, précédée d'une agonie terrible! La fumée, s'introduisant dans la gorge des malheureux, y causait une douleur insoutenable, et l'air même ne devait pas tarder à leur manquer!

Marie se leva alors, et sa présence, qui désespérait Jean Cornbutte, rendit quelque courage à Ponellan. Le timonier se dit que cette pauvre enfant ne pouvait être destinée à une mort aussi horrible!

«Eh bien! dit la jeune fille, vous avez donc fait trop de feu? La chambre est pleine de fumée!

—Oui ... oui ... répondit le timonier en balbutiant.

—On le voit bien, reprit Marie, car il ne fait pas froid, et il y a longtemps même que nous n'avons éprouvé autant de chaleur!»

Personne n'osa lui apprendre la vérité.

«Voyons, Marie, dit Penellan, en brusquant les choses, aide-nous à préparer le déjeuner. Il fait trop froid pour sortir. Voici le réchaud, voici l'esprit-de-vin, voici le café.—Allons, vous autres, un peu de pemmican d'abord, puisque ce maudit temps nous empêche de chasser!»

Ces paroles ranimèrent ses compagnons.

«Mangeons d'abord, ajouta Penellan, et nous verrons ensuite à sortir d'ici!»

Penellan joignit l'exemple au conseil et dévora sa portion. Ses compagnons l'imitèrent et burent ensuite une tasse de café brûlant, ce qui leur remit un peu de courage au coeur; puis, Jean Cornbutte décida, avec une grande énergie, que l'on allait tenter immédiatement les moyens de sauvetage.

Ce fut alors qu'André Vasling fit cette réflexion:

«Si la tempête dure encore, ce qui est probable, il faut que nous soyons ensevelis à dix pieds sous la glace, car on n'entend plus aucun bruit au dehors!»

Penellan regarda Marie, qui comprit la vérité, mais ne trembla pas.

Penellan fit d'abord rougir à la flamme de l'esprit-de-vin le bout de son bâton ferré, qu'il introduisit successivement dans les quatre murailles de glace, mais il ne trouva d'issue dans aucune. Jean Cornbutte résolut alors de creuser une ouverture dans la porte même. La glace était tellement dure que les coutelas l'entamaient difficilement. Les morceaux que l'on parvenait à extraire encombrèrent bientôt la hutte. Au bout de deux heures de ce travail pénible, la galerie creusée n'avait pas trois pieds de profondeur.

Il fallut donc imaginer un moyen plus rapide et qui fût moins susceptible d'ébranler la maison, car plus on avançait, plus la glace, devenant dure, nécessitait de violents efforts pour être entamée. Penellan eut l'idée de se servir du réchaud à esprit-de-vin pour fondre la glace dans la direction voulue. C'était un moyen hasardeux, car si l'emprisonnement venait à se prolonger, cet esprit-de-vin, dont les marins n'avaient qu'une petite quantité, leur ferait défaut au moment de préparer le repas. Néanmoins, ce projet obtint l'assentiment de tous, et il fut mis à exécution. On creusa préalablement un trou de trois pieds de profondeur sur un pied de diamètre pour recueillir l'eau qui proviendrait de la fonte de la glace, et l'on n'eut pas à se repentir de cette précaution, car l'eau suinta bientôt sous l'action du feu, que Penellan promenait à travers la masse de neige.

L'ouverture se creusa peu à peu, mais on ne pouvait continuer longtemps un tel genre de travail, car l'eau, se répandant sur les vêtements, les perçait de part en part. Penellan fut obligé de cesser au bout d'un quart d'heure et de retirer le réchaud pour se sécher lui-même. Misonne ne tarda pas à prendre sa place, et il n'y mit pas moins de courage.

Au bout de deux heures de travail, bien que la galerie eût déjà cinq pieds de profondeur, le bâton ferré ne put encore trouver d'issue au dehors.

«Il n'est pas possible, dit Jean Cornbutte, que la neige soit tombée avec une telle abondance! Il faut qu'elle ait été amoncelée par le vent sur ce point. Peut-être aurions-nous dû songer à nous échapper par un autre endroit?

—Je ne sais, répondit Penellan; mais, ne fût-ce que pour ne pas décourager nos compagnons, nous devons continuer à percer le mur dans le même sens. Il est impossible que nous ne trouvions pas une issue!

—L'esprit-de-vin ne manquera-t-il pas? demanda le capitaine.

—J'espère que non, répondit Penellan, mais à la condition, cependant, que nous nous privions de café ou de boissons chaudes! D'ailleurs, ce n'est pas là ce qui m'inquiète le plus.

—Qu'est-ce donc, Penellan? demanda Jean Cornbutte.

—C'est que notre lampe va s'éteindre, faute d'huile, et que nous arrivons à la fin de nos vivres!--Enfin! à la grâce de Dieu!»

Puis, Penellan alla remplacer André Vasling, qui travaillait avec énergie à la délivrance commune.

«Monsieur Vasling, lui dit-il, je vais prendre votre place, mais veillez bien, je vous en prie, à toute menace d'éboulement, pour que nous ayons le temps de la parer!»

Le moment du repos était arrivé, et, lorsque Penellan eut encore creusé la galerie d'un pied, il revint se coucher près de ses compagnons.

XI

UN NUAGE DE FUMÉE

Le lendemain, quand les marins se réveillèrent, une obscurité complète les enveloppait. La lampe s'était éteinte. Jean Cornbutte réveilla Penellan pour lui demander le briquet, que celui-ci lui passa. Penellan se leva pour allumer le réchaud; mais, en se levant, sa tête heurta contre le plafond de glace. Il fut épouvanté, car, la veille, il pouvait encore se tenir debout. Le réchaud, allumé, à la lueur indécise de l'esprit-de-vin, il s'aperçut que le plafond avait baissé d'un pied.

Penellan se remit au travail avec rage.

En ce moment, la jeune fille, aux lueurs que projetait le réchaud sur la figure du timonier, comprit que le désespoir et la volonté luttaient sur sa rude physionomie Elle vint à lui, lui prit les mains, les serra avec tendresse. Penellan sentit le courage lui revenir.

«Elle ne peut pas mourir ainsi!» s'écria-t-il.

Il reprit son réchaud et se mit de nouveau à ramper dans l'étroite ouverture. Là, d'une main vigoureuse, il enfonça son bâton ferré et ne sentit pas de résistance. Était-il donc arrivé aux couches molles de la neige? Il retira son bâton, et un rayon brillant se précipita dans la maison de glace.

«À moi, mes amis!» s'écria-t-il!

Et, des pieds et des mains, il repoussa la neige, mais la surface extérieure n'était pas dégelée, ainsi qu'il l'avait cru. Avec le rayon de lumière, un froid violent pénétra dans la cabane et en saisit toutes les parties humides, qui se solidifièrent en un moment. Son coutelas aidant, Penellan agrandit l'ouverture et put enfin respirer au grand air. Il tomba à genoux pour remercier Dieu et fut bientôt rejoint par la jeune fille et ses compagnons.

Une lune magnifique éclairait l'atmosphère, dont les marins ne purent supporter le froid rigoureux. Ils rentrèrent, mais, auparavant, Penellan regarda autour de lui. Le promontoire n'était plus là, et la hutte se trouvait au milieu d'une immense plaine de glace. Penellan voulut se diriger du côté du traîneau, où étaient les provisions: le traîneau avait disparu!

La température l'obligea de rentrer. Il ne parla de rien à ses compagnons. Il fallait avant tout sécher les vêtements, ce qui fut fait avec le réchaud à esprit-de-vin. Le thermomètre, mis un instant à l'air, descendit à trente degrés au-dessous de zéro.

Au bout d'une heure, André Vasling et Penellan résolurent d'affronter l'atmosphère extérieure. Ils s'enveloppèrent dans leurs vêtements encore humides et sortirent par l'ouverture, dont les parois avaient déjà acquis la dureté du roc.

«Nous avons été entraînés dans le nord-est, dit André Vasling, en s'orientant sur les étoiles, qui brillaient d'un éclat extraordinaire.

—Il n'y aurait pas de mal, répondit Penellan, si notre traîneau nous eût accompagnés!

—Le traîneau n'est plus là? s'écria André Vasling. Mais nous sommes perdus, alors!

—Cherchons,» répondit Penellan.

Ils tournèrent autour de la hutte, qui formait un bloc de plus de quinze pieds de hauteur. Une immense quantité de neige était tombée pendant toute la durée de la tempête, et le vent l'avait accumulée contre la seule élévation que présentât la plaine. Le bloc entier avait été entraîné par le vent, au milieu des glaçons brisés, à plus de vingt-cinq milles au nord-est, et les prisonniers avaient subi le sort de leur prison flottante. Le traîneau, supporté par un autre glaçon, avait dérivé d'un autre côté, sans doute, car on n'en apercevait aucune trace, et les chiens avaient dû succomber dans cette effroyable tempête.

André Vasling et Penellan sentirent se glisser Je désespoir dans leur âme. Ils n'osaient rentrer dans la maison de neige! Ils n'osaient annoncer cette fatale nouvelle à leurs compagnons d'infortune! Ils gravirent le bloc de glace même dans lequel se trouvait creusée la hutte et n'aperçurent rien que cette immensité blanche qui les entourait de toutes parts. Déjà le froid raidissait leurs membres, et l'humidité de leurs vêtements se transformait en glaçons qui pendaient autour d'eux.

Au moment où Penellan allait descendre le monticule, il jeta un coup d'oeil sur André Vasling. Il le vit tout à coup regarder avidement d'un côté, puis tressaillir et pâlir.

«Qu'avez-vous, monsieur Vasling? lui demanda-t-il.

—Ce n'est rien! répondit celui-ci. Descendons, et avisons à quitter au plus vite ces parages, que nous n'aurions jamais dû fouler!»

Mais, au lieu d'obéir, Penellan remonta et porta ses yeux du côté qui avait attiré l'attention du second. Un effet bien différent se produisit en lui, car il poussa un cri de joie et s'écria:

«Dieu soit béni!»

Une légère fumée s'élevait dans le nord-est. Il n'y avait pas à s'y tromper. Là respiraient des êtres animés. Les cris de joie de Penellan attirèrent ses compagnons, et tous purent se convaincre par leurs yeux que le timonier ne se trompait pas.

Aussitôt, sans s'inquiéter du manque de vivres, sans songer à la rigueur de la température, enveloppés dans leurs capuchons, tous s'avancèrent à grands pas vers l'endroit signalé.

La fumée s'élevait, dans le nord-est, et la petite troupe prit précipitamment cette direction. Le but à atteindre se trouvait à cinq ou six milles environ, et il devenait fort difficile de se diriger à coup sûr. La fumée avait disparu, et aucune élévation ne pouvait servir de point de repère, car la plaine de glace était entièrement unie.

Il importait, cependant, de ne pas dévier de la ligne droite.

«Puisque nous ne pouvons nous guider sur des objets éloignés, dit Jean Cornbutte, voici le moyen à employer: Penellan va marcher en avant, Vasling à vingt pas derrière lui, moi à vingt pas derrière Vasling. Je pourrai juger alors si Penellan ne s'écarte pas de la ligne droite.»

La marche durait ainsi depuis une demi-heure, quand Penellan s'arrêta soudain, prêtant l'oreille.

Le groupe de marins le rejoignit:

«N'avez-vous rien entendu? leur demanda-t-il.

—Rien, répondit Misonne.

—C'est singulier! fit Penellan. Il m'a semblé que des cris venaient de ce côté.

—Des cris? répondit la jeune fille. Nous serions donc bien près de notre but!

—Ce n'est pas une raison; répondit André Vasling. Sous ces latitudes élevées et par ces grands froids, le son porte à des distances extraordinaires.

—Quoi qu'il en soit, dit Jean Cornbutte, marchons, sous peine d'être gelés!

—Non! fit Penellan. Écoutez!»

Quelques sons faibles, mais perceptibles cependant, se faisaient entendre. Ces cris paraissaient des cris de douleur et d'angoisse. Ils se renouvelèrent deux fois. On eût dit que quelqu'un appelait au secours. Puis tout retomba dans le silence.

«Je ne me suis pas trompé, dit Penellan. En avant!»

Et il se mit à courir dans la direction de ces cris. Il fit ainsi deux milles environ, et sa stupéfaction fut grande, quand il aperçut un homme couché sur la glace. Il s'approcha de lui, le souleva et leva les bras au ciel avec désespoir.

André Vasling, qui le suivait de près avec le reste des matelots, accourut et s'écria:

«C'est un des naufragés? C'est notre matelot Cortrois!

—Il est mort, répliqua Penellan, mort de froid!»

Jean Cornbutte et Marie arrivèrent auprès du cadavre, que la glace avait déjà raidi. Le désespoir se peignit sur toutes les figures. Le mort était l'un des compagnons de Louis Cornbutte!

«En avant!» s'écria Penellan.

Ils marchèrent encore pendant une demi-heure, sans mot dire, et ils aperçurent une élévation du sol, qui devait être certainement la terre.

«C'est l'île Shannon,» dit Jean Cornbutte.

Au bout d'un mille, ils aperçurent distinctement une fumée qui s'échappait d'une hutte de neige fermée par une porte en bois. Ils poussèrent des cris. Deux hommes s'élancèrent hors de la hutte, et, parmi eux, Penellan reconnut Pierre Nouquet.

«Pierre!» s'écria-t-il.

Celui-ci demeurait là comme un homme hébété, n'ayant pas conscience de ce qui se passait autour de lui. André Vasling regardait avec une inquiétude mêlée d'une joie cruelle les compagnons de Pierre Nouquet, car il ne reconnaissait pas Louis Cornbutte parmi eux.

«Pierre! C'est moi! s'écria Penellan! Ce sont tous tes amis!»

Pierre Nouquet revint à lui et tomba dans les bras de son vieux compagnon.

«Et mon fils! Et Louis!» cria Jean Cornbutte avec l'accent du plus profond désespoir.

XII

RETOUR AU NAVIRE

À ce moment, un homme, presque mourant, sortant de la hutte, se traîna sur la glace.

C'était Louis Cornbutte.

«Mon fils!

—Mon fiancé!»

Ces deux cris partirent en même temps, et Louis Cornbutte tomba évanoui entre les bras de son père et de la jeune fille, qui l'entraînèrent dans la hutte, où leurs soins le ranimèrent.

«Mon père! Marie! s'écria Louis Cornbutte. Je vous aurai donc revus avant de mourir!

—Tu ne mourras pas! répondit Penellan, car tous tes amis sont près de toi!»

Il fallait que André Vasling eût bien de la haine pour ne pas tendre la main à Louis Cornbutte; mais il ne la lui tendit pas.

Pierre Nouquet ne se sentait pas de joie. Il embrassait tout le monde; puis il jeta du bois dans le poêle, et bientôt une température supportable s'établit dans la cabane.

Là, il y avait encore deux hommes que ni Jean Cornbutte ni Penellan ne connaissaient.

C'étaient Jocki et Herming, les deux seuls matelots norwégiens qui restassent de l'équipage du *Froöern*.

«Mes amis, nous sommes donc sauvés! dit Louis Cornbutte. Mon père! Marie! vous vous êtes exposés à tant de périls!

—Nous ne le regrettons pas, mon Louis, répondit Jean Cornbutte. Ton brick, *la Jeune-Hardie*, est solidement ancré dans les glaces à soixante lieues d'ici. Nous le rejoindrons tous ensemble.

—Quand Cortrois rentrera, dit Pierre Nouquet, il sera fameusement content tout de même!»

Un triste silence suivit cette réflexion, et Penellan apprit à Pierre Nouquet et à Louis Cornbutte la mort de leur compagnon, que le froid avait tué.

«Mes amis, dit Penellan, nous attendrons ici que le froid diminue. Vous avez des vivres et du bois?

—Oui, et nous brûlerons ce qui nous reste du *Froöern*!»

Le *Froöern* avait été entraîné, en effet, à quarante milles de l'endroit où Louis Cornbutte hivernait. Là, il fut brisé par les glaçons qui flottaient au dégel, et les naufragés furent emportés, avec une partie des débris dont était construite leur cabane, sur le rivage méridional de l'île Shannon.

Les naufragés se trouvaient alors au nombre de cinq, Louis Cornbutte, Cortrois, Pierre Nouquet, Jocki et Herming. Quant au reste de l'équipage norwégien, il avait été submergé avec la chaloupe au moment du naufrage.

Dès que Louis Cornbutte, entraîné dans les glaces, vit celles-ci se refermer autour de lui, il prit toutes les précautions pour passer l'hiver. C'était un homme énergique, d'une grande activité comme d'un grand courage; mais, en dépit de sa fermeté, il avait été vaincu par ce climat horrible, et quand son père le retrouva, il ne s'attendait plus qu'à mourir. Il n'avait, d'ailleurs, pas à lutter seulement contre les éléments, mais contre le mauvais vouloir des deux matelots norwégiens, qui lui devaient la vie, cependant. C'étaient deux sortes de sauvages, à peu, près inaccessibles aux sentiments les plus naturels. Aussi, quand Louis Cornbutte eut occasion d'entretenir Penellan, il lui recommanda de s'en défier particulièrement. En retour, Penellan le mit au courant de la conduite d'André Vasling. Louis Cornbutte ne put y croire, mais Penellan lui prouva que, depuis sa disparition, André Vasling avait toujours agi de manière à s'assurer la main de la jeune fille.

Toute cette journée fut employée au repos et au plaisir de se revoir. Fidèle Misonne et Pierre Nouquet tuèrent quelques oiseaux de mer, près de la maison, dont il n'était pas prudent de s'écarter. Ces vivres frais et le feu qui fut activé rendirent de la force aux plus malades. Louis Cornbutte lui-même éprouva un mieux sensible. C'était le premier moment de plaisir qu'éprouvaient ces braves gens. Aussi le fêtèrent-ils avec entrain, dans cette misérable cabane, à six cents lieues dans les mers du Nord, par un froid de trente degrés au-dessous de zéro!

Cette température dura jusqu'à la fin de la lune, et ce ne fut que vers le 17 novembre, huit jours après leur réunion, que Jean Cornbutte et ses compagnons purent songer au départ. Ils n'avaient plus que la lueur des étoiles pour se guider, mais le froid était moins vif, et il tomba même peu de neige.

Avant de quitter ce lieu, on creusa une tombe au pauvre Cortrois. Triste cérémonie, qui affecta vivement ses compagnons! C'était le premier d'entre eux qui ne devait pas revoir son pays.

Misonne avait construit avec les planches de la cabane une sorte de traîneau destiné au transport des provisions, et les matelots le traînèrent tour à tour. Jean Cornbutte dirigea la marche par les chemins déjà parcourus. Les campements s'organisaient, à l'heure du repos, avec une grande promptitude. Jean Cornbutte espérait retrouver ses dépôts de provisions, qui devenaient presque indispensables avec ce surcroît de quatre personnes. Aussi chercha-t-il à ne pas s'écarter de sa route.

Par un bonheur providentiel, il fut remis en possession de son traîneau, qui s'était échoué près du promontoire où tous avaient couru tant de dangers. Les chiens, après avoir mangé leurs courroies pour satisfaire leur faim, s'étaient attaqués aux provisions du traîneau. C'était ce qui les avait retenus, et ce furent eux-mêmes qui guidèrent la troupe vers le traîneau, où les vivres étaient encore en grande quantité.

La petite troupe reprit sa route vers la baie d'hivernage. Les chiens furent attelés au traîneau, et aucun incident ne signala l'expédition.

On constata seulement qu'Aupic, André Vasling et les Norwégiens se tenaient à l'écart et ne se mêlaient pas à leurs compagnons; mais, sans le savoir, ils étaient surveillés de près. Néanmoins, ce germe de dissension jeta plus d'une fois la terreur dans l'âme de Louis Cornbutte et de Penellan.

Vers le 7 décembre, vingt jours après leur réunion, ils aperçurent la baie où hivernait *la Jeune-Hardie*. Quel fut leur étonnement en apercevant le brick juché à près de quatre mètres en l'air sur des blocs de glace! Ils coururent, fort inquiets de leurs compagnons, et ils furent reçus avec des cris de joie par Gervique; Turquiette et Gradlin, Tous étaient en bonne santé, et cependant ils avaient couru, eux aussi, les plus grands dangers.

La tempête s'était fait ressentir dans toute la mer polaire. Les glaces avaient été brisées et déplacées, et, glissant les unes cous les autres, elles avaient saisi le lit sur lequel reposait le navire. Leur pesanteur spécifique tendant à les ramener au-dessus de l'eau, elles avaient acquis une puissance incalculable, et le brick s'était trouvé soudain élevé hors des limites de la mer.

Les premiers moments furent donnés à la joie du retour. Les marins de l'exploration se réjouissaient de trouver toutes les choses en bon état, ce qui leur assurait un hiver rude, sans doute, mais enfin supportable. L'exhaussement du navire ne l'avait pas ébranlé, et il était parfaitement solide. Lorsque la saison du dégel serait venue, il n'y aurait plus qu'à le faire glisser sur un plan incliné, à le lancer, en un mot, dans la mer redevenue libre.

Mais une mauvaise nouvelle assombrit le visage de Jean Cornbutte et de ses compagnons. Pendant la terrible bourrasque, le magasin de neige construit sur la côte avait été entièrement brisé; les vivres qu'il renfermait étaient dispersés, et il n'avait pas été possible d'en sauver la moindre partie. Dès que ce malheur leur fut appris, Jean et Louis Cornbutte visitèrent la cale et la cambuse du brick, pour savoir à quoi s'en tenir sur ce qui restait de provisions.

Le dégel ne devait arriver qu'avec le mois de mai.

Le brick ne pouvait quitter la baie d'hivernage avant cette époque. C'était donc cinq mois d'hiver qu'il fallait passer au milieu des glaces, pendant lesquels quatorze personnes devaient être nourries. Calculs et comptes faits, Jean Cornbutte comprit qu'il atteindrait tout au plus le moment du départ, en mettant tout le monde à la demi-ration. La chasse devint donc obligatoire pour procurer de la nourriture en plus grande abondance.

De crainte que ce malheur ne se renouvelât, on résolut de ne plus déposer de provisions à terre. Tout demeura à bord du brick, et on disposa également des lits pour les nouveaux arrivants dans le logement commun des matelots. Turquiette, Gervique et Gradlin, pendant l'absence de leurs compagnons, avaient creusé un escalier dans la glace qui permettait d'arriver sans peine au pont du navire.

XIII

LES DEUX RIVAUX

André Vasling s'était pris d'amitié pour les deux matelots norvégiens. Aupic faisait aussi partie de leur bande, qui se tenait généralement à l'écart, désapprouvant hautement toutes les nouvelles mesures; mais Louis Cornbutte, auquel son père avait remis le commandement du brick, redevenu maître à son bord, n'entendait pas raison sur ce chapitre-là, et, malgré les conseils de Marie, qui l'engageait à user de douceur, il fit savoir qu'il voulait être obéi en tous points.

Néanmoins, les deux Norvégiens parvinrent, deux jours après, à s'emparer d'une caisse de viande salée. Louis Cornbutte exigea qu'elle lui fût rendue sur-le-champ, mais Aupic prit fait et cause pour eux, et André Vasling fit même entendre que les mesures touchant la nourriture ne pouvaient durer plus longtemps.

Il n'y avait pas à prouver à ces malheureux que l'on agissait dans l'intérêt commun, car ils le savaient et ils ne cherchaient qu'un prétexte pour se révolter. Penellan s'avança vers les deux Norvégiens, qui tirèrent leurs coutelas; mais, secondé par Misonne et Turquiette, il parvint à les leur arracher des mains, et il reprit la caisse de viande salée. André Vasling et Aupic, voyant que l'affaire tournait contre eux, ne s'en mêlèrent aucunement. Néanmoins, Louis Cornbutte prit le second en particulier et lui dit.

«André Vasling, vous êtes un misérable. Je connais toute votre conduite, et je sais à quoi tendent vos menées; mais comme le salut de tout l'équipage m'est confié, si quelqu'un de vous songe à conspirer sa perte, je le poignarde de ma main!

—Louis Cornbutte, répondit le second, il vous est loisible de faire de l'autorité, mais rappelez-vous que l'obéissance hiérarchique n'existe plus ici, et que seul le plus fort fait la loi!»

La jeune fille n'avait jamais tremblé devant les dangers des mers polaires, mais elle eut peur de cette haine dont elle était la cause, et l'énergie de Louis Cornbutte put à peine la rassurer.

Malgré cette déclaration de guerre, les repas se prirent aux mêmes heures et en commun. La chasse fournit encore quelques ptarmigans et quelques lièvres blancs; mais avec les grands froids qui approchaient, cette ressource allait encore manquer. Ces froids commencèrent au solstice, le 22 décembre, jour auquel le thermomètre tomba à trente-cinq degrés au-dessous de zéro. Les hiverneurs éprouvèrent des douleurs dans les oreilles, dans le nez, dans toutes les extrémités du corps; ils furent pris d'une torpeur mortelle, mêlée de maux de tête, et leur respiration devint de plus en plus difficile.

Dans cet état, ils n'avaient plus le courage de sortir pour chasser, ou pour prendre quelque exercice. Ils demeuraient accroupis autour du poêle, qui ne leur donnait qu'une chaleur insuffisante, et dès qu'ils s'en éloignaient un peu, ils sentaient leur sang se refroidir subitement.

Jean Cornbutte vit sa santé gravement compromise, et il ne pouvait déjà plus quitter son logement. Des symptômes prochains de scorbut se manifestèrent en lui, et ses jambes se couvrirent de taches blanchâtres. La jeune fille se portait bien et s'occupait de soigner les malades avec l'empressement d'une soeur de charité. Aussi tous ces braves marins la bénissaient-ils du fond du coeur.

Le 1er janvier fut l'un des plus tristes jours de l'hivernage. Le vent était violent, et le froid insupportable. On ne pouvait sortir sans s'exposer à être gelé. Les plus courageux devaient se borner à se promener sur le pont abrité par la tente. Jean Cornbutte, Gervique et Gradlin ne quittèrent pas leur lit. Les deux Norwégiens, Aupic et André Vasling, dont la santé se soutenait, jetaient des regards farouches sur leurs compagnons, qu'ils voyaient dépérir.

Louis Cornbutte emmena Penellan sur le pont et lui demanda où en étaient les provisions de combustible. «Le charbon est épuisé depuis longtemps, répondit Penellan, et nous allons brûler nos derniers morceaux de bois!

—Si nous n'arrivons pas à combattre ce froid, dit Louis Cornbutte, nous sommes perdus!

—Il nous reste un moyen, répliqua Penellan, c'est de brûler ce que nous pourrons de notre brick, depuis les bastingages jusqu'à la flottaison, et même, au besoin, nous pouvons le démolir en entier et reconstruire un plus petit navire.

—C'est un moyen extrême, répondit Louis Cornbutte, et qu'il sera toujours temps d'employer quand nos hommes seront valides, car, dit-il à voix basse, nos forces diminuent, et celles de nos ennemis semblent augmenter. C'est même assez extraordinaire!

—C'est vrai, fit Penellan, et sans la précaution que nous avons de veiller nuit et jour, je ne sais ce qui nous arriverait.

—Prenons nos haches, dit Louis Cornbutte, et faisons notre récolte de bois.»

Malgré le froid, tous deux montèrent sur les bastingages de l'avant, et ils abattirent tout le bois qui n'était pas d'une indispensable utilité pour le navire. Puis ils revinrent avec cette provision nouvelle. Le poêle fut bourré de nouveau, et un homme resta de garde pour l'empêcher de s'éteindre.

Cependant Louis Cornbutte et ses amis furent bientôt sur les dents. Ils ne pouvaient confier aucun détail de la vie commune à leurs ennemis. Chargés de tous les soins domestiques, ils sentirent bientôt leurs forces s'épuiser. Le scorbut se déclara chez Jean Cornbutte, qui souffrit d'intolérables douleurs. Gervique et Gradlin commencèrent à être pris également. Sans la provision de jus de citron, dont ils étaient abondamment fournis, ces malheureux auraient promptement succombé à leurs souffrances. Aussi ne leur épargna-t-on pas ce remède souverain.

Mais un jour, le 15 janvier, lorsque Louis Cornbutte descendit à la cambuse pour renouveler ses provisions de citrons, il demeura stupéfait en voyant que les barils où ils étaient renfermés avaient disparu. Il remonta près de Penellan et lui fit part de ce nouveau malheur. Un vol avait été commis, et les auteurs étaient faciles à reconnaître. Louis Cornbutte comprit alors pourquoi la santé de ses ennemis se soutenait! Les siens n'étaient plus en force maintenant pour leur arracher ces provisions, d'où dépendaient sa vie et celle de ses compagnons, et il demeura plongé, pour la première fois, dans un morne désespoir!

XIV

DÉTRESSE

Le 20 janvier, la plupart de ces infortunés ne se sentirent pas la force de quitter leur lit. Chacun d'eux, indépendamment de ses couvertures de laine, avait une peau de buffle qui le protégeait contre le froid; mais, dès qu'il essayait de mettre le bras à l'air, il éprouvait une douleur telle qu'il lui fallait le rentrer aussitôt.

Cependant, Louis Cornbutte ayant allumé le poêle, Penellan, Misonne, André Vasling sortirent de leur lit et vinrent s'accroupir autour du feu. Penellan prépara du café brûlant, et leur rendit quelque force, ainsi qu'à Marie, qui vint partager leur repas.

Louis Cornbutte s'approcha alors du lit de son père qui était presque sans mouvement et dont les jambes étaient brisées par la maladie. Le vieux marin murmurait quelques mots sans suite, qui déchiraient le coeur de son fils.

«Louis! disait-il, je vais mourir!... Oh! que je souffre!... Sauve-moi!»

Louis Cornbutte prit une résolution décisive. Il revint vers le second et lui dit, en se contenant à peine:

«Savez-vous où sont les citrons, Vasling?

—Dans la cambuse, je suppose, reprit le second sans se déranger.

—Vous savez bien qu'ils n'y sont plus, puisque vous les avez volés!

—Vous êtes le maître, Louis Cornbutte, répondit ironiquement André Vasling, et il vous est permis de tout dire et de tout faire!

—Par pitié, Vasling, mon père se meurt! Vous pouvez le sauver! Répondez!

—Je n'ai rien à répondre, répondit André Vasling.

—Misérable! s'écria Penellan en se jetant sur le second, son coutelas à la main.

—À moi, les miens!» s'écria André Vasling en reculant.

Aupic et les deux matelots norvégiens sautèrent à bas de leur lit et se rangèrent derrière lui. Misonne, Turquiette, Penellan et Louis se préparèrent à se défendre. Pierre Nouquet et Gradlin, quoique bien souffrants, se levèrent pour les seconder.

«Vous êtes encore trop forts pour nous! dit alors André Vasling Nous ne voulons nous battre qu'à coup sûr!»

Les marins étaient si affaiblis, qu'ils n'osèrent pas se précipiter sur ces quatre misérables, car, en cas d'échec, ils eussent été perdus.

«André Vasling, dit Louis Cornbutte d'une voix sombre, si mon père meurt, tu l'auras tué, et moi je te tuerai comme un chien!»

André Vasling et ses complices se retirèrent à l'autre bout du logement et ne répondirent pas.

Il fallut alors renouveler la provision de bois, et, malgré le froid, Louis Cornbutte monta sur le pont et se mit à couper une partie des bastingages du brick, mais il fut forcé de rentrer au bout d'un quart d'heure, car il risquait de tomber foudroyé par le froid. En passant, il jeta un coup d'oeil sur le thermomètre extérieur et vit le mercure gelé. Le froid avait donc dépassé quarante-deux degrés au-dessous de zéro. Le temps était sec et clair, et le vent soufflait du nord.

Le 26, le vent changea, il vint du nord-est, et le thermomètre marqua extérieurement trente-cinq degrés. Jean Cornbutte était à l'agonie, et son fils avait cherché vainement quelque remède à ses douleurs. Ce jour-là, cependant, se jetant à l'improviste sur André Vasling, il parvint à lui arracher un citron que celui-ci s'apprêtait à sucer. André Vasling ne fit pas un pas pour le reprendre. Il semblait qu'il attendît l'occasion d'accomplir ses odieux projets.

Le jus de ce citron rendît quelque force à Jean Cornbutte, mais il aurait fallu continuer ce remède. La jeune fille alla supplier à genoux André Vasling, qui ne lui répondit pas, et Penellan entendit bientôt le misérable dire à ses compagnons:

«Le vieux est moribond! Gervique, Gradlin et Pierre Nouquet ne valent guère mieux! Les autres perdent leur force de jour en jour! Le moment approche où leur vie nous appartiendra!»

Il fut alors résolu entre Louis Cornbutte et ses compagnons de ne plus attendre et de profiter du peu de force qui leur restait. Ils résolurent d'agir dans la nuit suivante et de tuer ces misérables pour n'être pas tués par eux.

La température s'était élevée un peu. Louis Cornbutte se hasarda à sortir avec son fusil pour rapporter quelque gibier.

Il s'écarta d'environ trois milles du navire, et, souvent trompé par des effets de mirage ou de réfraction, il s'éloigna plus loin qu'il ne voulait. C'était imprudent, car des traces récentes d'animaux féroces se montraient sur le sol. Louis Cornbutte ne voulut cependant pas revenir sans rapporter quelque viande fraîche, et il continua sa route; mais il éprouvait alors un sentiment singulier, qui lui tournait la tête. C'était ce qu'on appelle «le vertige du blanc».

En effet, la réflexion des monticules de glaces et de la plaine le saisissait de la tête aux pieds, et il lui semblait que cette couleur le pénétrait et lui causait un affadissement irrésistible. Son oeil en était imprégné, son regard dévié. Il crut qu'il allait devenir fou de blancheur. Sans se rendre compte de cet effet terrible, il continua sa marche et ne tarda pas à faire lever un ptarmigan, qu'il poursuivit avec ardeur. L'oiseau tomba bientôt, et pour aller le prendre, Louis Cornbutte, sautant d'un glaçon sur la plaine, tomba lourdement, car il avait fait un saut de dix pieds, lorsque la réfraction lui faisait croire qu'il n'en avait que deux à franchir. Le vertige le saisit alors, et, sans savoir pourquoi, il se mit à appeler au secours pendant quelques minutes, bien qu'il ne se fût rien brisé dans sa chute. Le froid commençant à l'envahir, il revint au sentiment de sa conservation et se releva péniblement.

Soudain, sans qu'il pût s'en rendre compte, une odeur de graisse brûlée saisit son odorat. Comme il était sous le vent du navire, il supposa que cette odeur venait de là, et il ne comprit pas dans quel but on brûlait cette graisse, car c'était fort dangereux, puisque cette émanation pouvait attirer des bandes d'ours blancs.

Louis Cornbutte reprit donc le chemin du brick, en proie à une préoccupation qui, dans son esprit surexcité, dégénéra bientôt en terreur. Il lui sembla que des masses colossales se mouvaient à l'horizon, et il se demanda s'il n'y avait pas encore quelque tremblement de glaces. Plusieurs de ces masses s'interposèrent entre le navire et lui, et il lui parut qu'elles s'élevaient sur les flancs du brick. Il s'arrêta pour les considérer plus attentivement, et sa terreur fut extrême, quand il reconnut une bande d'ours gigantesques.

Ces animaux avaient été attirés par cette odeur de graisse qui avait surpris Louis Cornbutte. Celui-ci s'abrita derrière un monticule, et il en compta trois qui ne tardèrent pas à escalader les blocs de glace sur lesquels reposait *la Jeune-Hardie*.

Rien ne parut lui faire supposer que ce danger fût connu à l'intérieur du navire, et une terrible angoisse lui serra le coeur. Comment s'opposer à ces ennemis redoutables? André Vasling et ses compagnons se réuniraient-ils à tous les hommes du bord dans ce danger commun? Penellan et les autres, à demi privés de nourriture, engourdis par le froid, pourraient-ils résister à ces bêtes redoutables, qu'excitait une faim inassouvie? Ne seraient-ils pas surpris, d'ailleurs, par une attaque imprévue?

Louis Cornbutte fit en un instant ces réflexions. Les ours avaient gravi les glaçons et montaient à l'assaut du navire. Louis Cornbutte put alors quitter le bloc qui le protégeait, il s'approcha en rampant sur la glace, et bientôt il put voir les énormes animaux déchirer la tente avec leurs griffes et sauter sur le pont. Louis Cornbutte pensa à tirer un coup de fusil pour avertir ses compagnons; mais si ceux-ci montaient sans être armés, ils seraient inévitablement mis en pièces, et rien n'indiquait qu'ils eussent connaissance de ce nouveau danger!

XV

LES OURS BLANCS.

Après le départ de Louis Cornbutte, Penellan avait soigneusement fermé la porte du logement, qui s'ouvrait au bas de l'escalier du pont. Il revint près du poêle, qu'il se chargea de garder, pendant que ses compagnons regagnaient leur lit pour y trouver un peu de chaleur.

Il était alors six heures du soir, et Penellan se mit à préparer le souper. Il descendit à la cambuse pour chercher de la viande salée, qu'il voulait faire amollir dans l'eau bouillante. Quand il remonta, il trouva sa place prise par André Vasling, qui avait mis des morceaux de graisse à cuire dans la bassine.

«J'étais là avant vous, dit brusquement Penellan à André Vasling. Pourquoi avez-vous pris ma place?

—Par la raison qui vous fait la réclamer, répondit André Vasling, parce que j'ai besoin de faire cuire mon souper!

—Vous enlèverez cela tout de suite, répliqua Penellan, ou nous verrons!

—Nous ne verrons rien, répondit André Vasling, et ce souper cuira malgré vous!

—Vous n'y goûterez donc pas!» s'écria Penellan, en s'élançant sur André Vasling, qui saisit son coutelas, en s'écriant:

«À moi, les Norwégiens! à moi, Aupic!»

Ceux-ci, en un clin d'oeil, furent sur pied, armés de pistolets et de poignards. Le coup était préparé.

Penellan se précipita sur André Vasling, qui s'était sans doute donné le rôle de le combattre tout seul, car ses compagnons coururent aux lits de Misonne, de Turquiette et de Pierre Nouquet. Ce dernier, sans défense, accablé par la maladie, était livré à la férocité d'Herming. Le charpentier, lui, saisit une hache, et, quittant son lit, il se jeta à la rencontre d'Aupic. Turquiette et le Norwégien Jocki luttaient avec acharnement. Gervique et Gradlin, en proie à d'atroces souffrances, n'avaient même pas conscience de ce qui se passait auprès d'eux.

Pierre Nouquet reçut bientôt un coup de poignard dans le côté, et Herming revint sur Penellan, qui se battait avec rage. André Vasling l'avait saisi à bras-le-corps.

Mais dès le commencement de la lutte, la bassine avait été renversée sur le fourneau, et la graisse, se répandant sur les charbons ardents, imprégnait l'atmosphère d'une odeur infecte. Marie se leva en poussant des cris de désespoir, et se précipita vers le lit où râlait le vieux Jean Cornbutte.

André Vasling, moins vigoureux que Penellan, sentit bientôt ses bras repoussés par ceux du timonier. Ils étaient trop près l'un de l'autre pour pouvoir faire usage de leurs armes. Le second, apercevant Herming, s'écria:

«À moi! Herming!

—À moi! Misonne!» cria Penellan à son tour.

Mais Misonne se roulait à terre avec Aupic, qui cherchait à le percer de son coutelas. La hache du charpentier était une arme peu favorable à sa défense, car il ne pouvait la manoeuvrer, et il avait toutes les peines du monde à parer les coups de poignard qu'Aupic lui portait.

Cependant, le sang coulait au milieu des rugissements et des cris. Turquiette, terrassé par Jocki, homme d'une force peu commune, avait reçu un coup de poignard à l'épaule, et il cherchait en vain à saisir un pistolet passé à la ceinture du Norwégien. Celui-ci l'étreignait comme dans un étau, et aucun mouvement ne lui était possible.

Au cri d'André Vasling, que Penellan acculait contre la porte d'entrée, Herming accourut. Au moment où il allait porter un coup de coutelas dans le dos du Breton, celui-ci d'un pied vigoureux l'étendit à terre. L'effort qu'il fit permit à André Vasling de dégager son bras droit des étreintes de Penellan; mais la porte d'entrée, sur laquelle ils pesaient de tout leur poids, se défonça subitement, et André Vasling tomba à la renverse.

Soudain, un rugissement terrible éclata, et un ours gigantesque apparut sur les marches de l'escalier. André Vasling l'aperçut le premier. Il n'était pas à quatre pieds de lui. Au même moment, une détonation se fit entendre, et l'ours, blessé ou effrayé, rebroussa chemin. André Vasling, qui était parvenu à se relever, se mit à sa poursuite, abandonnant Penellan.

Le timonier replaça alors la porte défoncée et regarda autour de lui. Misonne et Turquiette, étroitement garrottés par leurs ennemis, avaient été jetés dans un coin et faisaient de vains efforts pour rompre leurs liens. Penellan se précipita à leur secours, mais il fut renversé par les deux Norwégiens et Aupic. Ses forces épuisées ne lui permirent pas de résister à ces trois hommes, qui l'attachèrent de façon à lui interdire tout mouvement. Puis, aux cris du second, ceux-ci s'élancèrent sur le pont, croyant avoir affaire à Louis Cornbutte.

Là, André Vasling se débattait contre un ours, auquel il avait porté déjà deux coups de poignard. L'animal, frappant l'air de ses pattes formidables, cherchait à atteindre André Vasling. Celui-ci, peu à peu acculé contre le bastingage, était perdu, quand une seconde détonation retentit. L'ours tomba. André Vasling leva la tête et aperçut Louis Cornbutte dans les enfléchures du mât de misaine, le fusil à la main. Louis Cornbutte avait visé l'ours au coeur, et l'ours était mort.

La haine domina la reconnaissance dans le coeur de Vasling; mais, avant de la satisfaire, il regarda autour de lui. Aupic avait eu la tête brisée d'un coup de patte, et gisait sans vie sur le pont. Jocki, une hache à la main, parait, non sans peine, les coups que lui portait ce second ours, qui venait de tuer Aupic. L'animal avait reçu deux coups de poignard, et cependant il se battait avec acharnement. Un troisième ours se dirigeait vers l'avant du navire.

André Vasling ne s'en occupa donc pas, et, suivi d'Herming, il vint au secours de Jocki; mais Jocki, saisi entre les pattes de l'ours, fut broyé, et quand l'animal tomba sous les coups d'André Vasling et d'Herming, qui déchargèrent sur lui leurs pistolets, il ne tenait plus qu'un cadavre entre ses pattes.

«Nous ne sommes plus que deux, dit André Vasling d'un air sombre et farouche; mais si nous succombons, ce ne sera pas sans vengeance!»

Herming rechargea son pistolet, sans répondre. Avant tout, il fallait se débarrasser du troisième ours. André Vasling regarda du côté de l'avant et ne le vit pas. En levant les yeux, il l'aperçut debout sur le bastingage et grimpant déjà aux enfléchures, pour atteindre Louis Cornbutte. André Vasling laissa tomber son fusil qu'il dirigeait sur l'animal, et une joie féroce se peignit dans ses yeux.

«Ah! s'écria-t-il, tu me dois bien cette vengeance-là!»

Cependant Louis Cornbutte s'était réfugié dans la hune de misaine. L'ours montait toujours, et il n'était plus qu'à six pieds de Louis, quand celui-ci épaula son fusil et visa l'animal au coeur.

De son côté, André Vasling épaula le sien pour frapper Louis si l'ours tombait.

Louis Cornbutte tira, mais il ne parut pas que l'ours eût été touché, car il s'élança d'un bond sur la hune. Tout le mât en tressaillit.

André Vasling poussa un cri de joie.

«Herming! cria-t-il au matelot norwégien, va me chercher Marie! Va me chercher ma fiancée!»

Herming descendit l'escalier du logement.

Cependant, l'animal furieux s'était précipité sur Louis Cornbutte, qui chercha un abri de l'autre côté du mât; mais, au moment où sa patte énorme s'abattait pour lui briser la tête, Louis Cornbutte, saisissant l'un des galhaubans, se laissa glisser jusqu'à terre, non pas sans danger, car, à moitié chemin, une balle siffla à ses oreilles. André Vasling venait de tirer sur lui et l'avait manqué. Les deux adversaires se retrouvèrent donc en face l'un de l'autre, le coutelas à la main.

Ce combat devait être décisif. Pour assouvir pleinement sa vengeance, pour faire assister la jeune fille à la mort de son fiancé, André Vasling s'était privé du secours d'Herming. Il ne devait donc plus compter que sur lui-même.

Louis Cornbutte et André Vasling se saisirent chacun au collet, et se tinrent de façon à ne pouvoir plus reculer. Des deux l'un devait tomber mort. Ils se portèrent de violents coups, qu'ils ne parèrent qu'à demi, car le sang coula bientôt de part et d'autre. André Vasling cherchait à jeter son bras droit autour du cou de son adversaire pour le terrasser. Louis Cornbutte, sachant que celui qui tomberait était perdu, le prévint, et il parvint à le saisir des deux bras; mais, dans ce mouvement, son poignard lui échappa de la main.

Des cris affreux arrivèrent en ce moment à son oreille. C'était la voix de Marie, qu'Herming voulait entraîner. La rage prit Louis Cornbutte au coeur; il se raidit pour faire plier les reins d'André Vasling; mais, à ce moment, les deux adversaires se sentirent saisis tous les deux dans une étreinte puissante.

L'ours, descendu de la hune de misaine, s'était précipité sur ces deux hommes.

André Vasling était appuyé contre le corps de l'animal. Louis Cornbutte sentait les griffes du monstre lui entrer dans les chairs. L'ours les étreignait tous deux.

«À moi! à moi, Herming! put crier le second.

—À moi! Penellan!» s'écria Louis Cornbutte.

Des pas se firent entendre sur l'escalier. Penellan parut, arma son pistolet et le déchargea dans l'oreille de l'animal. Celui-ci poussa un rugissement. La douleur lui fit ouvrir un instant les pattes, et Louis Cornbutte, épuisé, glissa sans mouvement sur le pont; mais l'animal, les refermant avec force dans une suprême agonie, tomba en entraînant le misérable André Vasling, dont le cadavre fut broyé sous lui.

Penellan se précipita au secours de Louis Cornbutte. Aucune blessure grave ne mettait sa vie en danger, et le souffle seul lui avait manqué un moment.

«Marie!... dit-il en ouvrant les yeux.

—Sauvée! répondit le timonier. Herming est étendu là, avec un coup de poignard au ventre!

—Et ces ours?...

—Morts, Louis, morts comme nos ennemis! Mais on peut dire que, sans ces bêtes-là, nous étions perdus! Vraiment! ils sont venus à notre secours! Remercions donc la Providence!»

Louis Cornbutte et Penellan descendirent dans le logement, et Marie se précipita dans leurs bras.

XVI

CONCLUSION

Herming, mortellement blessé, avait été transporté sur un lit par Misonne et Turquiette, qui étaient parvenus à briser leurs liens. Ce misérable râlait déjà, et les deux marins s'occupèrent de Pierre Nouquet, dont la blessure n'offrit heureusement pas de gravité.

Mais un plus grand malheur devait frapper Louis Cornbutte. Son père ne donnait plus aucun signe de vie!

Était-il mort avec l'anxiété de voir son fils livré à ses ennemis? Avait-il succombé avant cette terrible scène? On ne sait. Mais le pauvre vieux marin, brisé par la maladie, avait cessé de vivre!

À ce coup inattendu, Louis Cornbutte et Marie tombèrent dans un désespoir profond, puis ils s'agenouillèrent près du lit et pleurèrent en priant pour l'âme de Jean Cornbutte.

Penellan, Misonne et Turquiette les laissèrent seuls dans cette chambre et remontèrent sur le pont. Les cadavres des trois ours furent tirés à l'avant. Penellan résolut de garder leur fourrure, qui devait être d'une grande utilité, mais il ne pensa pas un seul moment à manger leur chair. D'ailleurs, le nombre des hommes à nourrir était bien diminué maintenant. Les cadavres d'André Vasling, d'Aupic et de Jocki, jetés dans une fosse creusée sur la côte, furent bientôt rejoints par celui d'Herming. Le Norvégien mourut dans la nuit sans repentir ni remords, l'écume de la rage à la bouche.

Les trois marins réparèrent la tente, qui, crevée en plusieurs endroits, laissait la neige tomber sur le pont. La température était excessivement froide, et dura ainsi jusqu'au retour du soleil, qui ne reparut au-dessus de l'horizon que le 8 janvier.

Jean Cornbutte fut enseveli sur cette côte. Il avait quitté son pays pour retrouver son fils, et il était venu mourir sous ce climat affreux! Sa tombe fut creusée sur une hauteur, et les marins y plantèrent une simple croix de bois.

Depuis ce jour, Louis Cornbutte et ses compagnons passèrent encore par de cruelles épreuves; mais les citrons, qu'ils avaient retrouvés, leur rendirent la santé.

Gervique, Gradlin et Pierre Nouquet purent se lever, une quinzaine de jours après ces terribles événements, et prendre un peu d'exercice.

Bientôt, la chasse devint plus facile et plus abondante. Les oiseaux aquatiques revenaient en grand nombre. On tua souvent une sorte de canard sauvage, qui procura une nourriture excellente. Les chasseurs n'eurent à déplorer d'autre perte que celle de deux de leurs chiens, qu'ils perdirent dans une entreprise pour reconnaître, à vingt-cinq milles dans le sud, l'état de la plaine de glaces.

Le mois de février fût signalé par de violentes tempêtes et des neiges abondantes. La température moyenne fut encore de vingt-cinq degrés au-dessous de zéro, mais les hiverneurs n'en souffrirent pas, par comparaison. D'ailleurs, la vue du soleil, qui s'élevait de plus en plus au-dessus de l'horizon, les réjouissait, en leur annonçant la fin de leurs tourments. Il faut croire aussi que le Ciel eut pitié d'eux, car la chaleur fut précoce cette année. Dès le mois de mars, quelques corbeaux furent aperçus, voltigeant autour du navire. Louis Cornbutte captura des grues qui avaient poussé jusque là leurs pérégrinations septentrionales. Des bandes d'oies sauvages se laissèrent aussi entrevoir dans le sud.

Ce retour des oiseaux indiquait une diminution du froid. Cependant, il ne fallait pas trop s'y fier, car, avec un changement de vent, ou dans les nouvelles ou pleines lunes, la température s'abaissait subitement, et les marins étaient forcés de recourir à leurs précautions les plus grandes pour se prémunir contre elle. Ils avaient déjà brûlé tous les bastingages du navire pour se chauffer, les cloisons du rouffle qu'ils n'habitaient pas, et une grande partie du faux pont. Il était donc temps que cet hivernage finît. Heureusement, la moyenne de mars ne fut pas de plus de seize degrés au-dessous de zéro. Marie s'occupa de préparer de nouveaux vêtements pour cette précoce saison de l'été.

Depuis l'équinoxe, le soleil s'était constamment maintenu au-dessus de l'horizon. Les huit mois de jour avaient commencé. Cette clarté perpétuelle et cette chaleur incessante, quoique excessivement faibles, ne tardèrent pas à agir sur les glaces.

Il fallait prendre de grandes précautions pour lancer *la Jeune-Hardie* du haut lit de glaçons qui l'entouraient. Le navire fut en conséquence solidement étayé, et il parut convenable d'attendre que les glaces fussent brisées par la débâcle; mais les glaçons inférieurs, reposant dans une couche d'eau déjà plus chaude, se détachèrent peu à peu, et le brick redescendit insensiblement. Vers les premiers jours d'avril, il avait repris son niveau naturel.

Avec le mois d'avril vinrent des pluies torrentielles, qui, répandues à flots sur la plaine de glaces, hâtèrent encore sa décomposition. Le thermomètre remonta à dix degrés au-dessous de zéro. Quelques hommes ôtèrent leurs vêtements de peaux de phoque, et il ne fut plus nécessaire d'entretenir un poêle jour et nuit dans le logement. La provision d'esprit-de-vin, qui n'était pas épuisée, ne fut plus employée que pour la cuisson des aliments.

Bientôt, les glaces commencèrent à se briser avec de sourds craquements. Les crevasses se formaient avec une grande rapidité, et il devenait imprudent de s'avancer sur la plaine, sans un bâton pour sonder les passages, car des fissures serpentaient çà et là. Il arriva même que plusieurs marins tombèrent dans l'eau, mais ils en furent quittes pour un bain un peu froid.

Les phoques revinrent à cette époque, et on leur donna souvent la chasse, car leur graisse devait être utilisée.

La santé de tous demeurait excellente. Le temps était rempli par les préparatifs de départ et par les chasses. Louis Cornbutte allait souvent étudier les passes, et, d'après la configuration de la côte méridionale, il résolut de tenter le passage plus au sud. Déjà la débâcle s'était produite dans différents endroits, et quelques glaçons flottants se dirigeaient vers la haute mer. Le 25 avril, le navire fut mis en état. Les voiles, tirées de leur étui, étaient dans un parfait état de conservation, et ce fut une joie véritable pour les marins de les voir se balancer au souffle du vent. Le navire tressaillit, car il avait retrouvé sa ligne de flottaison, et quoiqu'il ne put pas encore bouger, il reposait cependant dans son élément naturel.

Au mois de mai, le dégel se fit rapidement. La neige qui couvrait le rivage fondait de tous côtés et formait une boue épaisse, qui rendait la côte presque inabordable. De petites bruyères, roses et pâles, se montraient timidement à travers les restes de neige et semblaient sourire à ce peu de chaleur. Le thermomètre remonta enfin au-dessus de zéro.

À vingt milles du navire, au sud, les glaçons, complétement détachés, voguaient alors vers l'océan Atlantique. Bien que la mer ne fût pas entièrement libre autour du navire, il s'établissait des passes dont Louis Cornbutte voulut profiter.

Le 21 mai, après une dernière visite au tombeau de son père, Louis Cornbutte abandonna enfin la baie d'hivernage. Le coeur de ces braves marins se remplit en même temps de joie et de tristesse, car on ne quitte pas sans regret les lieux où l'on a vu mourir un ami. Le vent soufflait du nord et favorisait le départ du brick. Souvent il fut arrêté par des bancs de glace, que l'on dut couper à la scie; souvent des glaçons se dressèrent devant lui, et il fallut employer la mine pour les faire sauter. Pendant un mois encore, la navigation fut pleine de dangers, qui mirent souvent le navire à deux doigts de sa perte; mais l'équipage était hardi et accoutumé à ces périlleuses manoeuvres. Penellan, Pierre Nouquet, Turquiette, Fidèle Misonne, faisaient à eux seuls l'ouvrage de dix matelots, et Marie avait des sourires de reconnaissance pour chacun.

La Jeune-Hardie fut enfin délivrée des glaces à la hauteur de l'île Jean-Mayen. Vers le 25 juin, le brick rencontra des navires qui se rendaient dans le Nord, pour la pêche des phoques et de la baleine. Il avait mis près d'un mois à sortir de la mer polaire.

Le 16 août, *la Jeune-Hardie* se trouvait en vue de Dunkerque. Elle avait été signalée par la vigie, et toute la population du port accourut sur la jetée. Les marins du brick tombèrent bientôt dans les bras de leurs amis. Le vieux curé reçut Louis Cornbutte et Marie sur son coeur, et, des deux messes qu'il dit les deux jours suivants, la première fut pour le repos de l'âme de Jean Cornbutte, et la seconde pour bénir ces deux fiancés, unis depuis si longtemps par le bonheur.

QUARANTIÈME ASCENSION FRANÇAISE AU MONT BLANC PAR PAUL VERNE

Le 18 août 1871 j'arrivais à Chamonix avec l'intention bien arrêtée de faire, coûte que coûte, l'ascension du mont Blanc. Ma première tentative en août 1869 n'avait pas réussi. Le mauvais temps ne m'avait permis d'atteindre que les Grands-Mulets. Cette fois-ci, les circonstances ne semblaient pas beaucoup plus favorables, car le temps, qui avait paru se mettre au beau dans la matinée du 18, changea brusquement vers midi. Le mont Blanc, suivant l'expression du pays, «mit son bonnet et commença à fumer sa pipe»; ce qui, en termes moins imagés, veut dire qu'il se couvrit de nuages et que la neige, chassée par un vent violent du sud-ouest, formait à sa cime une longue aigrette dirigée vers les précipices insondables du glacier de la Brenva. Cette aigrette indiquait aux touristes imprudents la route qu'ils eussent prise, bien malgré eux, s'ils avaient osé affronter la montagne.

La nuit suivante fut très-mauvaise; la pluie et le vent firent rage à qui mieux mieux, et le baromètre, au-dessous de variable, se tint dans une immobilité désespérante.

Cependant, vers la pointe du jour, quelques coups de tonnerre annoncèrent une modification de l'état atmosphérique. Bientôt le ciel se dégagea. La chaîne du Brevent et des Aiguilles-Rouges se découvrit. Le vent, remontant au nord-ouest, fit apparaître, au-dessus du col de Balme, qui ferme la vallée de Chamonix au nord, quelques légers nuages isolés et floconneux, que je saluai comme les messagers du beau temps.

Malgré ces heureux présages et quoique le baromètre eût légèrement remonté, M. Balmat, guide-chef de Chamonix, me déclara qu'il ne fallait pas encore songer à tenter l'ascension.

«Si le baromètre continue à monter, ajouta-t-il, et si le temps se maintient, je vous promets des guides pour après-demain, peut-être pour demain. En attendant, pour vous faire prendre patience et dérouiller vos jambes, je vous engage à faire l'ascension du Brevent. Les nuages vont se dissiper, et vous pourrez vous rendre un compte exact du chemin que vous aurez à parcourir pour arriver au sommet du mont Blanc. Si, malgré ça, le coeur vous en dit, eh bien, vous tenterez l'aventure!»

Cette tirade, débitée d'un certain ton, n'était pas très-rassurante et donnait à réfléchir. J'acceptai néanmoins sa proposition, et il désigna pour m'accompagner la guide Ravanel (Édouard), garçon très-froid et très-dévoué, connaissant parfaitement son affaire.

J'avais pour compagnon de voyage mon compatriote et ami M. Donatien Levesque, touriste enragé et marcheur intrépide, qui avait fait au commencement de l'année dernière un voyage instructif et souvent pénible dans l'Amérique du Nord. Il en avait déjà visité la plus grande partie et se disposait à descendre à la Nouvelle-Orléans par le Mississipi, quand la guerre vint couper court à ses projets et le rappeler en France. Nous nous étions rencontrés à Aix-les-Bains, et nous avions décidé qu'une fois notre traitement fini, nous ferions ensemble une excursion en Savoie et en Suisse.

Donatien Levesque était au courant de mes intentions, et comme sa santé ne lui permettait pas, croyait-il, de tenter un aussi long voyage sur les glaciers, il avait été convenu qu'il attendrait à Chamonix mon retour du mont Blanc, et ferait pendant mon absence la visite traditionnelle de la mer de glace par le Montanvers.

En apprenant que j'allais au Brevent, mon ami n'hésita pas à m'accompagner. Au reste, l'ascension du Brevent est une des courses les plus intéressantes qu'on puisse faire à Chamonix. Cette montagne, haute de 2,525 mètres, n'est qu'un prolongement de la chaîne des Aiguilles-Rouges, qui court du sud-ouest au nord-est, parallèlement à celle du mont Blanc, et forme avec elle la vallée assez étroite de Chamonix. Le Brevent, par sa position centrale juste en face du glacier des Bossons, permet de suivre pendant presque tout leur trajet les caravanes qui entreprennent l'ascension du géant des Alpes. Aussi est-il très-fréquenté.

Nous partîmes vers sept heures du matin. Chemin faisant, je songeais aux paroles ambiguës du guide-chef; elles me tracassaient un peu. Aussi, m'adressant à Ravanel:

«Avez vous fait l'ascension du mont Blanc? lui demandai-je.

—Oui, monsieur, me répondit-il, une fois, et c'est assez. Je ne me soucie nullement d'y retourner.

—Diable! dis-je, et moi qui compte l'essayer!

—Vous êtes libre, monsieur, mais je ne vous accompagnerai pas. La montagne n'est pas bonne cette année. On a fait déjà plusieurs tentatives; deux seulement ont réussi. Pour la seconde, ils s'y sont repris à deux fois. Au reste, l'accident de l'an dernier a un peu refroidi les amateurs.

—Un accident! Lequel donc?

—Ah! monsieur l'ignore? Voici la chose. Une caravane, composée de dix guides et porteurs et de deux Anglais, est partie vers le mi-septembre pour le mont Blanc. On l'a vue arriver au sommet, puis, quelques minutes après, elle a disparu dans un nuage. Quand le nuage fut dissipé, on ne vit plus personne. Les deux voyageurs avec sept guides et porteurs avaient été enlevés par le vent et précipités du côté de Cormayeur, sans doute dans le glacier de la Brenva. Malgré les recherches les plus actives, on n'a pas pu retrouver leurs corps. Les trois autres ont été trouvés à 150 mètres au-dessous de la cime, vers les Petits-Mulets. Ils étaient passés à l'état de blocs de glace.

—Mais alors ces voyageurs ont dû commettre quelque imprudence? dis-je à Ravanel. Quelle folie de partir aussi tard pour une semblable expédition! C'était au mois d'août qu'il fallait la faire!»

J'avais beau me débattre, cette lugubre histoire me trottait dans l'esprit. Heureusement que bientôt le temps se dégagea et que les rayons d'un beau soleil vinrent dissiper les nuages qui voilaient encore le mont Blanc, et, en même temps, ceux qui obscurcissaient mon esprit.

Notre ascension s'accomplit à souhait. En quittant les chalets de Planpraz, situés à 2,062 mètres, on monte par des éboulis de pierres et par des flaques de neige jusqu'au pied d'un rocher nommé la Cheminée, qu'on escalade en s'aidant des pieds et des mains. Vingt minutes après, on est au sommet du Brevent, d'où la vue est admirable. La chaîne du mont Blanc apparaît alors dans toute sa majesté. Le gigantesque mont, solidement établi sur ses puissantes assises, semble défier les tempêtes qui glissent sur son bouclier de glace sans jamais l'entamer, tandis que cette foule d'aiguilles, de pics, de montagnes, qui lui font cortège et se haussent à l'envi autour de lui, sans pouvoir l'égaler, portent les traces évidentes d'une lente décomposition.

Du belvédère admirable que nous occupions, on commence à se rendre compte, quoique bien imparfaitement encore, des distances à parcourir pour arriver au sommet. La cime, qui, de Chamonix, paraît si rapprochée du dôme du Goûter, reprend sa véritable place. Les divers plateaux qui forment autant de degrés qu'il faudra franchir, et qu'on ne peut apercevoir d'en bas, se découvrent aux yeux et reculent encore, par les lois de la perspective, ce sommet si désiré. Le glacier des Bossons, dans toute sa splendeur, se hérisse d'aiguilles de glace et de séracs (blocs de glace ayant quelquefois jusqu'à dix mètres de côté), qui semblent battre, comme les flots d'une mer irritée, les parois des rochers des Grands-Mulets, dont la base disparaît au milieu d'eux.

Ce spectacle merveilleux n'était pas fait pour me refroidir, et plus que jamais je me promis d'explorer ce monde encore inconnu pour moi.

Mon compagnon de voyage se laissait également gagner par l'enthousiasme, et, à partir de ce moment, je commençai à croire que je n'irais pas seul au mont Blanc.

Nous redescendîmes à Chamonix; le temps s'améliorait de plus en plus; le baromètre continuait lentement son mouvement ascensionnel: tout se préparait pour le mieux.

Le lendemain, dès l'aube, je courus chez le guide-chef. Le ciel était sans nuages: le vent, presque insensible, s'était fixé au nord-est. La chaîne du mont Blanc, dont les sommets principaux se doraient aux rayons du soleil levant, semblait engager les nombreux touristes à lui rendre visite. On ne pouvait, sans impolitesse, refuser une aussi aimable invitation. M. Balmat, après avoir consulté son baromètre, déclara l'ascension faisable et me promit les deux guides et le porteur prescrits par le règlement. Je lui en laissai le choix. Mais un incident auquel je ne m'attendais pas vint jeter quelque trouble dans les préparatifs du départ.

En sortant du bureau du guide-chef, je rencontrai Édouard Ravanel, mon guide de la veille.

«Est-ce que monsieur va au mont Blanc? me dit-il.

—Oui, sans doute, répondis-je. Ne trouvez-vous pas le moment bien choisi?»

Il réfléchit quelques minutes, et d'un air un peu contraint:

«Monsieur, me dit-il, vous êtes mon voyageur; je vous ai accompagné hier au Brevent, je ne puis donc vous abandonner, et puisque vous allez là-haut, j'irai avec vous, si vous voulez bien accepter mes services. C'est votre droit, car pour toutes les courses dangereuses le voyageur peut choisir ses guides. Seulement, si vous acceptez mon offre, je vous demande de m'adjoindre mon frère, Ambroise Ravanel, et mon cousin, Gaspard Simon. Ce sont de jeunes et vigoureux gars; ils n'aiment pas plus que moi un semblable voyage, mais ils ne bouderont pas à l'ouvrage, et je vous réponds d'eux comme de moi-même.»

Ce garçon m'inspirait toute confiance. J'acceptai, et j'allai sans perdre de temps prévenir le guide-chef du choix que j'avais fait.

Mais, pendant ces pourparlers, M. Balmat avait commencé ses démarches près des guides en suivant leur tour de rôle. Un seul avait accepté, Édouard Simon.

On attendait la réponse d'un autre, nommé Jean Carrier. Elle n'était pas douteuse, car cet homme avait déjà fait vingt-neuf fois l'ascension du mont Blanc. Je me trouvai donc fort embarrassé. Les guides que j'avais choisis étaient tous d'Argentière, commune située à six kilomètres de Chamonix. Aussi ceux de Chamonix accusaient-ils Ravanel de m'avoir influencé en faveur de sa famille, ce qui était contraire au règlement.

Pour couper court à la discussion, je pris pour troisième guide Édouard Simon, qui avait déjà fait ses préparatifs.

Il ne m'était pas utile si je montais seul, mais il devenait indispensable si mon ami m'accompagnait.

Ceci réglé, j'allai prévenir Donatien Levesque. Je le trouvai dormant du sommeil du juste qui a parcouru la veille quinze kilomètres dans la montagne. Le réveil offrit quelques difficultés; mais en lui retirant d'abord ses draps, puis ses oreillers et enfin ses matelas, j'obtins quelque résultat, et je parvins à lui faire comprendre que je me préparais au grand voyage.

«Eh bien! me dit-il en bâillant, je vous accompagnerai jusqu'aux Grands-Mulets, et, là, j'attendrai votre retour.

—Bravo! lui répondis-je, j'ai justement un guide de trop, je l'attacherai à votre personne.»

Nous achetâmes les objets indispensables aux courses sur les glaciers. Bâtons ferrés, jambières en gros drap, lunettes vertes s'appliquant hermétiquement sur les yeux, gants fourrés, voiles verts et passe-montagnes, rien ne fut oublié. Nous avions chacun d'excellents souliers à triple semelle, que nos guides firent ferrer à glace. Ce dernier détail est d'une importance considérable, car il est des moments dans une pareille expédition où toute glissade serait mortelle, non-seulement pour soi, mais pour toute la caravane.

Nos préparatifs et ceux de nos guides prirent environ deux heures. Vers huit heures, on nous amena nos mulets, et nous partons enfin pour le chalet de la Pierre-Pointue, situé à 2,000 mètres d'altitude, soit 1,000 mètres au-dessus de la vallée de Chamonix, et 2,800 mètres plus bas que le sommet du mont Blanc.

En arrivant à la Pierre-Pointue, vers dix heures, nous y trouvons un voyageur espagnol, M. N..., accompagné de deux guides et d'un porteur. Son guide principal, nommé Paccard, parent du docteur Paccard, qui fit, avec Jacques Balmat, la première ascension du mont Blanc, était déjà monté dix-huit fois au sommet. M. N... se disposait, lui aussi, à en faire l'ascension. Il avait beaucoup voyagé en Amérique et traversé les Cordillères des Andes du côté de Quito, en passant au milieu des neiges par les cols les plus élevés; il pensait donc pouvoir, sans trop de difficultés, mener à bien sa nouvelle entreprise; mais en cela il se trompait. Il avait compté sans la verticalité des pentes qu'il avait à franchir, et sans la raréfaction de l'air.

Je me hâte d'ajouter, à son honneur, que s'il réussit à atteindre la cime du mont Blanc, ce fut grâce à une énergie morale bien rare, car les forces physiques l'avaient abandonné depuis longtemps.

Nous déjeunâmes à la Pierre-Pointue aussi copieusement que possible. C'est une mesure de prudence, car généralement l'appétit disparaît dès qu'on entre dans les régions glacées.

M. N... partit avec ses guides vers onze heures pour les Grands-Mulets. Nous ne nous mîmes en route qu'à midi. À la Pierre-Pointue cesse le chemin de mulets. Il faut alors gravir en zigzags un sentier très-raide qui suit le bord du glacier des Bossons et longe la base de l'aiguille du Midi. Après une heure d'un travail assez pénible, par une chaleur intense, nous arrivons à un point nommé la Pierre-à-l'Échelle, situé à 2,700 mètres. Là, guides et voyageurs s'attachent ensemble par une forte corde, en laissant entre eux un espace de trois à quatre mètres. Il s'agit en effet d'entrer sur le glacier des Bossons. Ce glacier, d'un abord difficile, présente de tous côtés des crevasses béantes et sans fond appréciable. Les parois verticales de ces crevasses ont une couleur glauque et incertaine, trop séduisante à l'oeil; quand, en s'approchant avec précaution, on parvient à pénétrer du regard leurs profondeurs mystérieuses, on se sent attiré vers elles avec violence, et rien ne semble plus naturel que d'y aller faire un tour.

On s'avance lentement, tantôt en contournant les crevasses, tantôt en les traversant avec une échelle, ou bien sur des ponts de neige d'une solidité problématique. C'est alors que la corde joue son rôle. On la tend pendant le passage dangereux; si le pont de neige vient à manquer, guide ou voyageur reste suspendu au-dessus de l'abîme. On le retire et il en est quitte pour quelques contusions. Parfois, si la crevasse est très-large, mais peu profonde, on descend au fond pour remonter de l'autre côté. Dans ce cas, la taille des marches dans la glace est nécessaire, et les deux guides de tête armés d'un «piolet», espèce de hache ou plutôt d'herminette, se livrent à ce travail pénible et périlleux.

Une circonstance particulière rend l'entrée des Bossons dangereuse. On prend le glacier au pied de l'aiguille du Midi et en face d'un couloir où passent souvent des avalanches de pierres. Ce couloir a environ 200 mètres de largeur. Il faut le traverser promptement, et, pendant le trajet, l'un des guides fait la faction pour vous avertir du danger s'il se présente.

En 1869, un guide fut tué à cette place, et son corps, lancé dans le vide par la chute d'une pierre, alla se briser sur les rochers à 300 mètres plus bas.

Nous étions prévenus; aussi hâtons-nous notre marche autant que notre inexpérience nous le permet; mais au sortir de cette zone dangereuse, une autre nous attend qui ne l'est pas moins. Il s'agit de la région des séracs, immenses blocs de glace dont la formation n'est pas bien expliquée. Ces séracs sont généralement disposés au bord d'un plateau et menacent toute la vallée qui se trouve au-dessous d'eux. Un simple mouvement du glacier ou même une légère vibration de l'atmosphère peut déterminer leur chute et occasionner les plus graves accidents.

«Messieurs, ici du silence, et passons vite.» Ces paroles, prononcées d'un ton brutal par l'un des guides, font cesser nos conversations. Nous passons vite et en silence. Enfin, d'émotion en émotion, nous arrivons à ce qu'on appelle la *Jonction*, que l'on pourrait nommer plus justement la *Séparation* violente, par la montagne de la Côte, des glaciers des Bossons et de Tacconay. À cet endroit, la scène prend un caractère indescriptible: crevasses aux couleurs chatoyantes, aiguilles de glace aux formes élancées, séracs suspendus et percés à jour, petits lacs d'un vert glauque, forment un chaos qui dépasse tout ce qu'on peut imaginer. Joignez à cela le grondement des torrents au fond du glacier, les craquements sinistres et répétés des blocs qui se détachent et se précipitent en avalanche au fond des crevasses, les tressaillements du sol qui se fend sous vos pieds, et vous aurez alors une idée de ces contrées mornes et désolées dont la vie ne se révèle que par la destruction et la mort.

Après avoir passé la Jonction, on suit pendant quelque temps le glacier de Tacconay, et on arrive à la côte qui conduit aux Grands-Mulets. Cette côte, très-inclinée, se gravit en lacets; le guide de tête a soin de les tracer sous un angle de trente degrés environ quand il y a de la neige fraîche, pour éviter les avalanches.

Enfin, après trois heures de trajet sur la glace et la neige, nous arrivons aux Grands-Mulets, rochers hauts de 200 mètres, dominant d'un côté le glacier des Bossons, de l'autre les plaines inclinées de névé qui s'étendent jusqu'au pied du dôme du Goûter.

Une petite cabane, construite par les guides vers le sommet du premier rocher, et située à 3,050 mètres d'altitude, donne asile aux voyageurs et leur permet d'attendre à l'abri l'heure du départ pour le sommet du mont Blanc.

On y dîne comme on peut, et on y dort de même; mais le proverbe: «Qui dort dîne,» n'a aucun sens à cette hauteur, car on n'y peut faire sérieusement ni l'un ni l'autre.

«Eh bien, dis-je à Levesque, après un simulacre de repas, vous ai-je exagéré la splendeur du paysage, et regrettez-vous d'être venu jusqu'ici?

—Je le regrette si peu, me répondit-il, que je suis bien décidé à aller jusqu'au sommet. Vous pouvez compter sur moi.

—Très-bien, lui dis-je, mais vous savez que le plus dur reste à faire.

—Baste! fit-il, nous en viendrons bien à bout. En attendant, allons toujours voir le coucher du soleil, qui doit être magnifique.»

En effet, le ciel était resté d'une pureté remarquable.

La chaîne du Brevent et des Aiguilles-Rouges s'étendait à nos pieds. Au delà, les rochers des Fiz et l'aiguille de Varan s'élèvent au-dessus de la vallée de Sallanche et repoussent au troisième plan toute la chaîne des monts Fleury et du Reposoir. Plus à droite, le Buet avec son sommet neigeux, plus loin la dent du Midi, dominant de ses cinq crocs la vallée du Rhône. Derrière nous, les neiges éternelles, le dôme du Goûter, les monts Maudits et enfin le mont Blanc.

Peu à peu l'ombre envahit la vallée de Chamonix et atteint tour à tour chacun des sommets qui la dominent à l'ouest. La chaîne du mont Blanc reste seule lumineuse et semble entourée d'un nimbe d'or. Bientôt l'ombre gagne le dôme du Goûter et les monts Maudits. Elle respecte encore le géant des Alpes. Nous suivons avec admiration cette disparition lente et progressive de la lumière. Elle se maintient quelque temps sur le dernier sommet, en nous donnant l'espoir insensé qu'elle ne le quittera pas. Mais au bout de quelques minutes, tout s'assombrit, et à ces teintes si vivantes succèdent les couleurs livides et cadavéreuses de la mort. Je n'exagère rien: celui qui aime les montagnes me comprendra.

Après avoir assisté à cette scène grandiose, nous n'avions plus qu'à attendre l'heure du départ. Nous devions nous mettre en route à deux heures du matin. Chacun s'étend sur son matelas.

Dormir, il n'y faut pas songer; causer, pas davantage. On est absorbé par des idées plus ou moins sombres; c'est la nuit qui précède la bataille, avec cette différence que rien ne vous oblige à engager le combat. Deux courants d'idées se disputent la possession de votre esprit. C'est le flux et le reflux de la mer, chacun l'emporte à son tour. Les objections à une semblable entreprise ne manquent pas. À quoi bon courir cette aventure? Si on réussit, quel avantage en peut-on retirer? S'il arrive un accident, que de regrets! Alors l'imagination s'en mêle; toutes les catastrophes de la montagne se présentent à votre esprit. Vous rêvez ponts de neige manquant sous vos pas, vous vous sentez précipité dans ces crevasses béantes, vous entendez les craquements terribles de l'avalanche qui se détache et va vous ensevelir, vous disparaissez, le froid de la mort vous saisit, et vous vous débattez dans un effort suprême!...

Un bruit strident, quelque chose d'horrible se produit à ce moment.

«L'avalanche! l'avalanche! criez-vous.

—Qu'est-ce que vous avez? qu'est-ce que vous faites?» s'écrie Levesque, réveillé en sursaut.

Hélas! c'est un meuble que, dans le suprême effort de mon cauchemar, je viens de culbuter avec fracas! Cette avalanche prosaïque me rappelle à la réalité. Je ris de mes terreurs, le courant contraire reprend le dessus, et avec lui les idées ambitieuses. Il ne tient qu'à moi, avec un peu d'effort, de fouler ce sommet si rarement atteint! C'est une victoire comme une autre! Les accidents sont rares, très-rares! Ont-ils eu lieu même? De la cime le spectacle doit être si merveilleux! Et puis, quelle satisfaction d'avoir accompli ce que tant d'autres n'ont osé entreprendre!

À ces pensées, mon âme se raffermit, et c'est avec calme que j'attends le moment du départ.

Vers une heure, les pas des guides, leurs conversations, le bruit des portes qu'on ouvre nous indiquent que le moment approche. Bientôt M. Ravanel entre dans notre chambre:

«Allons, messieurs, debout, le temps est magnifique. Vers dix heures nous serons au sommet.»

À ces paroles, nous sautons à bas de nos lits et nous procédons lestement à notre toilette. Deux de nos guides, Ambroise Ravanel et son cousin Simon, partent en avant pour explorer le chemin. Ils sont munis d'une lanterne qui doit nous indiquer la direction à suivre, et armés de leur piolet pour faire la route et tailler des pas dans les endroits trop difficiles. À deux heures, nous nous attachons tous ensemble. Voici l'ordre de marche: devant moi et en tête, Édouard Ravanel; derrière moi, Édouard Simon, puis Donatien Levesque; après lui, nos deux porteurs, car nous avions pris pour second le domestique de la cabane des Grands-Mulets, et toute la caravane de M. N...

Les guides et les porteurs s'étant réparti les provisions, on donne le signal du départ, et nous nous mettons en route au milieu de ténèbres profondes, en nous dirigeant sur la lanterne qu'ont emportée nos premiers guides. Ce départ a quelque chose de solennel. On parle peu, le vague de l'inconnu vous obsède, mais cette situation nouvelle et violente exalte et rend insensible aux dangers qu'elle comporte. Le paysage environnant est fantastique. On n'en distingue pas bien les contours. De grandes masses blanchâtres et indécises, avec des taches noires un peu plus accusées, ferment l'horizon. La voûte céleste brille d'un éclat particulier. On aperçoit, à une distance qu'on ne peut apprécier, la lanterne vacillante des guides qui font la route, et le lugubre silence de la nuit n'est troublé que par le bruit sec et éloigné de la hache taillant des pas dans la glace.

On gravit lentement et avec précaution la première rampe, en se dirigeant vers la base du dôme du Goûter. Au bout de deux heures d'une ascension pénible, on arrive au premier plateau, nommé Petit-Plateau, situé au pied du dôme du Goûter, à une hauteur de 3,650 mètres. Après quelques minutes de repos, on reprend sa marche en inclinant à gauche et en se dirigeant vers la côte qui conduit au Grand-Plateau.

Mais déjà notre caravane n'est plus aussi nombreuse. M. N..., avec ses guides, s'est détaché; la fatigue qu'il éprouve l'oblige à prendre un peu plus de repos.

Vers quatre heures et demie, l'aube commença à blanchir l'horizon. Nous franchissions à ce moment la rampe qui conduit au Grand-Plateau, où nous arrivons sans encombre Nous étions à 3,900 mètres. Nous avions bien gagné notre déjeuner. Contre l'habitude, Levesque et moi, nous avions bon appétit. C'était bon signe. Nous nous installâmes donc sur la neige et nous fîmes un repas de circonstance. Nos guides, joyeux, considéraient notre succès comme assuré. Pour moi, je trouvais qu'ils allaient un peu vite en besogne.

Quelques instants plus tard, M. N... nous rejoignit. Nous insistâmes vivement pour qu'il prît quelque nourriture. Il refusa obstinément. Il éprouvait cette contraction de l'estomac si commune dans ces parages, et il était fort abattu.

Le Grand-Plateau mérite une description particulière. À droite s'élève le dôme du Goûter. En face de soi, le mont Blanc, qui le domine encore de 900 mètres. À gauche, les rochers Rouges et les monts Maudits. Ce cirque immense est partout d'une blancheur éblouissante. Il présente de tous côtés d'énormes crevasses. C'est dans l'une d'elles que furent engloutis, en 1820, trois des guides qui accompagnaient le docteur Hamel et le colonel Anderson. Depuis cette époque, en 1864, un autre guide, Ambroise Couttet, y a trouvé la mort.

Il faut traverser ce plateau avec de grandes précautions, car il y existe souvent des crevasses cachées par la neige. De plus, il est fréquemment balayé par les avalanches. Le 13 octobre 1866; un voyageur anglais et trois de ses guides furent ensevelis sous une montagne de glace tombée du mont Blanc. Après un travail des plus périlleux, on parvint à retrouver les corps des trois guides. On s'attendait à chaque instant à découvrir celui du voyageur, quand une nouvelle avalanche vint s'abattre sur la première et obligea les travailleurs à renoncer à leur recherche.

Trois routes s'offraient à nous. La route ordinaire, qui consiste à prendre tout à fait à gauche, sur la base des monts Maudits, une espèce de vallée appelée Porche ou Corridor, conduit par des pentes modérées au haut du premier escarpement des rochers Rouges.

La seconde, moins fréquentée, prend à droite par le dôme du Goûter et mène au sommet du mont Blanc par l'arête qui relie ces deux montagnes. Il faut pendant trois heures suivre un chemin vertigineux et escalader une tranche de glace vive assez difficile, nommée la Bosse-du-Dromadaire.

La troisième route consiste à monter directement au sommet du Corridor, en gravissant un mur de glace haut de 250 mètres, qui longe le premier escarpement des rochers Rouges.

Les guides ayant déclaré la première route impraticable en raison des crevasses récentes qui la barraient entièrement, il nous restait le choix entre les deux autres. Pour moi, j'opinais pour la deuxième, qui passe par la Bosse-du-Dromadaire; mais elle fut jugée trop dangereuse, et il fut décidé que nous attaquerions le mur de glace qui conduit au sommet du Corridor.

Quand une décision est prise, le mieux est de l'exécuter sans retard. Nous traversons donc le Grand-Plateau et nous arrivons au pied de cet obstacle vraiment effrayant.

Plus nous avançons, plus son inclinaison semble se rapprocher de la verticale. En outre, plusieurs crevasses que nous n'avions pas aperçues s'ouvrent à ses pieds.

Nous commençons néanmoins cette difficile ascension. Le premier guide de tête ébauche les marches, le second les achève. Nous faisons deux pas par minute. Plus nous montons, plus l'inclinaison augmente. Nos guides eux-mêmes se consultent sur la route à suivre; ils parlent en patois et ne sont pas toujours d'accord, ce qui n'est pas bon signe. Enfin, l'inclinaison devient telle que le bord de nos chapeaux touche les mollets du guide qui nous précède. Une mitraille de morceaux de glace produite par la taille des pas nous aveugle et rend notre position encore plus pénible. Alors, m'adressant à nos guides de tête:

«Ah ça, leur dis-je, c'est très-bien de monter par là! Cela n'est pas une grande route, j'en conviens, mais c'est encore praticable. Seulement, par où nous ferez-vous redescendre?

—Oh! monsieur, me répondit Ambroise Ravanel, au retour, nous prendrons un autre chemin.»

Enfin, après deux heures de violents efforts, et après avoir taillé plus de quatre cents marches dans cette montée effrayante, nous arrivons à bout de forces au sommet du Corridor.

Nous traversons alors un plateau de neige légèrement incliné, et nous côtoyons une immense crevasse qui nous barre la route. À peine l'avons-nous tournée qu'un cri d'admiration s'échappe de nos poitrines. À droite le Piémont et les plaines de la Lombardie sont à nos pieds. À gauche, les massifs des Alpes Pennines et de l'Oberland, couronnés de neige, élèvent leurs cimes incomparables. Le mont Rose et le Cervin seuls, nous dominent encore, mais bientôt nous les dominerons à notre tour.

Cette réflexion nous ramène au but de notre expédition. Nous tournons nos regards vers le mont Blanc et nous restons stupéfaits.

«Dieu! qu'il est encore loin! s'écrie Levesque.

—Et haut!» ajoutai-je.

C'était en effet désespérant. Le fameux mur de la côte, si redouté, qu'il fallait absolument franchir, était devant nous avec son inclinaison de cinquante degrés. Mais, après avoir escaladé le mur du Corridor, il ne nous effrayait pas. Nous prenons une demi-heure de repos, puis nous continuons notre route;

mais nous nous aperçûmes bientôt que les circonstances atmosphériques n'étaient plus les mêmes. Le soleil nous frappait de ses rayons ardents, et leur réflexion sur la neige doublait notre supplice. La raréfaction de l'air commençait à se faire cruellement sentir. Nous avancions lentement, en faisant des haltes fréquentes, et nous finissons par atteindre le plateau qui domine le second escarpement des rochers Rouges. Nous étions au pied du mont Blanc. Il s'élevait, seul et majestueux, à une hauteur de 200 mètres au-dessus de nous. Le mont Rose lui-même avait baissé pavillon!

Levesque et moi, nous étions absolument à bout de forces. Quant à M. N..., qui nous avait rejoints au sommet du Corridor, on peut dire qu'il était insensible à la raréfaction de l'air, car il ne respirait plus, pour ainsi dire.

Nous commençons enfin à escalader le dernier degré. Nous faisions dix pas et nous nous arrêtions, nous trouvant dans l'impossibilité absolue d'aller plus loin. Une contraction douloureuse de la gorge rendait notre respiration encore plus difficile. Nos jambes nous refusaient le service, et je compris alors cette expression pittoresque de Jacques Balmat, quand, en racontant sa première ascension, il dit que «ses jambes semblaient ne plus tenir qu'à l'aide de son pantalon». Mais un sentiment plus fort dominait la matière, et si le corps demandait grâce, le coeur, répondant: Excelsior! Excelsior! étouffait ces plaintes désespérées, et poussait en avant et malgré elle notre pauvre machine détraquée. Nous passons ainsi les Petits-Mulets, rochers situés à 4,666 mètres, et, après deux heures d'efforts surhumains, nous dominons enfin la chaîne entière. Le mont Blanc est sous nos pieds!

Il était midi quinze minutes.

L'orgueil du succès nous remit promptement de nos fatigues. Nous avions donc enfin conquis cette cime redoutée! Nous dominions toutes les autres, et cette pensée, que le mont Blanc seul peut faire naître, nous plongeait dans une émotion profonde. C'était l'ambition satisfaite, et, pour moi surtout, un rêve devenu réalité!

Le mont Blanc est la plus haute montagne de l'Europe. Un certain nombre de montagnes en Asie et en Amérique sont plus élevées, mais à quoi bon les affronter, si, par impossibilité absolue d'en atteindre la cime, on doit en fin de compte rester dominé par elles?

D'autres, telles que le Cervin, par exemple, sont d'un accès encore plus difficile, mais le sommet de ce mont, nous l'apercevons à quatre cents mètres au-dessous de nous!

Et puis, quel spectacle pour nous récompenser de nos peines! Le ciel, toujours pur, avait pris une teinte d'un bleu très-foncé. Le soleil, dépouillé d'une partie de ses rayons, avait perdu son éclat, comme dans une éclipse partielle. Cet effet, dû à la raréfaction de l'atmosphère, était d'autant plus sensible que les montagnes et les plaines environnantes étaient inondées de lumière. Aussi, aucun détail ne nous échappait.

Au sud-est, les montagnes du Piémont, et plus loin les plaines de la Lombardie, fermaient notre horizon. Vers l'ouest, les montagnes de la Savoie et celles du Dauphiné; au delà, la vallée du Rhône. Au nord-ouest, le lac de Genève, le Jura; puis, en redescendant vers le sud, un chaos de montagnes et de glaciers, quelque chose d'indescriptible, dominé par le massif du mont Rose, les Mischabelhoerner, le Cervin, le Weishorn, la plus belle des cimes, comme l'appelle le célèbre ascensionniste Tyndall, et plus loin par la Jungfrau, le Monch, l'Eiger et le Finsteraarhorn.

On ne peut évaluer à moins de soixante lieues l'étendue de notre rayon. Nous découvrions donc cent vingt lieues de pays au moins.

Une circonstance particulière vint encore augmenter la beauté du spectacle. Des nuages se formèrent du côté de l'Italie et envahirent les vallées des Alpes Pennines, mais sans en voiler les sommets. Nous eûmes bientôt sous les yeux un second ciel, un ciel inférieur, une mer de nuages d'où émergeait tout un archipel de pics et de montagnes couverts de neige. C'était quelque chose de magique que le plus grand des poëtes rendrait à peine.

Le sommet du mont Blanc forme une arête dirigée du sud-ouest au nord-est, longue de deux cents pas et large d'un mètre au point culminant. On dirait une coque de navire renversé, la quille en l'air.

Chose très-rare, la température était alors fort élevée, 10 degrés au-dessus de zéro. L'air était presque calme. Parfois une légère brise d'est se faisait sentir.

Le premier soin de nos guides avait été de nous placer tous en ligne sur la crête faisant face à Chamonix, pour qu'on pût d'en bas facilement nous compter et s'assurer que personne ne manquait à l'appel. Nombre de touristes s'étaient rendus au Brevent et au Jardin pour suivre notre ascension. Ils purent en constater le succès.

Mais ce n'est pas tout que de monter, il fallait songer à redescendre. Le plus difficile, sinon le plus fatigant, restait à faire; et puis, on quitte à regret une sommité conquise au prix de tant de labeurs; le ressort qui vous poussait en montant, ce besoin de dominer, si naturel et si impérieux, vous fait défaut; vous marchez sans ardeur, en regardant souvent en arrière!

Il fallut pourtant se décider. Après une dernière libation du Champagne traditionnel, nous nous mettons en route. Nous étions restés une heure au sommet. L'ordre de marche était changé. La caravane de M. N... était en tête, et sur la demande de son guide, Paccard, nous nous attachons tous ensemble. L'état de fatigue dans lequel se trouvait M. N..., que ses forces trahissaient, mais non sa volonté, pouvait faire craindre des chutes que nos efforts réunis parviendraient peut-être à arrêter. L'événement justifia notre appréhension. En descendant le mur de la côte, M. N... fit plusieurs faux pas. Ses guides, très vigoureux et très habiles, purent heureusement l'arrêter au passage; mais les nôtres, craignant avec raison que la caravane tout entière ne fût entraînée, voulurent se détacher. Levesque et moi, nous nous y opposons, et, en prenant les plus grandes précautions, nous arrivons sans encombre au bas de cette côte vertigineuse qu'il faut descendre en avant. Il n'y a pas d'illusion possible; l'abîme, le vide presque sans fond est devant vous, et les morceaux de glace détachés qui passent près de vous en bondissant, avec la rapidité d'une flèche, vous montrent parfaitement la route que prendrait la caravane si vous veniez à manquer.

Une fois ce mauvais pas franchi, je commençai à respirer. Nous descendions les pentes peu inclinées qui conduisent au sommet du Corridor. La neige, ramollie par la chaleur, cédait sous nos pas; nous y enfoncions jusqu'au genou, ce qui rendait notre marche très fatigante. Nous suivions toujours nos traces du matin, et je m'en étonnais, quand Gaspard Simon, se tournant vers moi, me dit:

«Monsieur, nous ne pouvons pas prendre d'autre chemin, le Corridor est impraticable, et il faut absolument redescendre par le mur que nous avons grimpé ce matin.»

Je communiquai à Levesque cette nouvelle peu agréable.

«Seulement, ajouta Gaspard Simon, je ne crois pas que nous puissions rester attachés tous ensemble. Au reste, nous verrons comment M. N... se comportera au début.»

Nous avancions vers ce terrible mur. La caravane de M. N... commençait à descendre, et nous entendions les paroles assez vives que lui adressait Paccard. La pente devenait telle, que nous n'apercevions plus ni lui ni ses guides, quoique nous fussions toujours liés ensemble.

Dès que Gaspard Simon, qui me précédait, put se rendre compte de ce qui se passait, il s'arrêta, et, après avoir échangé quelques paroles en patois avec ses collègues, il nous déclara qu'il fallait se détacher de la caravane de M. N...

«Nous répondons de vous, ajouta-t-il, mais nous ne pouvons répondre des autres, et s'ils glissent, ils nous entraînerons.»

En disant cela, il se détacha.

Il nous en coûtait beaucoup de prendre ce parti; mais nos guides furent inflexibles. Nous proposons alors d'envoyer deux d'entre eux prêter leur concours aux guides de M. N... Ils acceptent avec empressement; mais, n'ayant pas de corde, ils ne peuvent mettre ce projet à exécution.

Nous commençons donc cette effroyable descente. Un seul de nous bougeait à la fois, et au moment où il faisait un pas, tous les autres s'arc-boutaient, prêts à soutenir la secousse s'il venait à glisser. Le guide de tête, Édouard Ravanel, avait un rôle des plus périlleux; il devait refaire les marches qui étaient plus ou moins détruites par le passage de la première caravane.

Nous avancions lentement et en prenant les plus grandes précautions. Notre route nous menait en droite ligne à l'une des crevasses qui s'ouvraient au pied de l'escarpement. Cette crevasse, quand nous montions, nous pouvions ne pas la regarder; mais en descendant, son ouverture verdâtre et béante nous fascinait. Tous les blocs de glace détachés par notre passage semblaient s'être donné le mot: en trois bonds, ils allaient s'y engouffrer, comme dans la gueule du Minotaure. Seulement, après chaque morceau, la gueule du Minotaure se refermait; ici, point: cette crevasse inassouvie s'ouvrait toujours et paraissait attendre, pour se refermer, une *bouchée plus importante*. Il s'agissait de n'être pas cette *bouchée*, et c'est à cela que tendaient tous nos efforts. Pour nous soustraire à cette fascination, à ce vertige moral, si je puis m'exprimer ainsi, nous essayâmes bien de plaisanter sur la position scabreuse que nous occupions et dont un chamois n'aurait pas voulu Nous allâmes jusqu'à fredonner quelques couplets du maestro Offenbach; mais, pour rester fidèle à la vérité, je dois convenir que nos plaisanteries étaient faibles et que nous ne chantions pas juste. Je crus même remarquer, sans en être surpris, que Levesque s'obstinait à mettre sur le grand air du *Trovatore* des paroles de *Barbe-Bleue*, ce qui dénotait une certaine préoccupation. Enfin, pour nous remonter, nous faisions comme ces faux braves qui chantent dans les ténèbres pour se donner du coeur.

Nous restons ainsi suspendus entre la vie et la mort pendant une heure, qui nous parut éternelle, et nous finissons par arriver au bas de cet escarpement redoutable. Nous y trouvons sains et saufs M. N... et ses guides.

Après avoir pris quelques minutes de repos, nous continuons notre marche.

En approchant du Petit-Plateau, Édouard Ravanel s'arrêta brusquement, et, se tournant vers nous:

«Voyez quelle avalanche! s'écria-t-il. Elle a couvert nos traces.»

En effet, une immense avalanche de glace, tombée du dôme du Goûter, recouvrait entièrement la route que nous avions suivie le matin pour traverser le Petit-Plateau. Je ne puis évaluer la masse de cette avalanche à moins de cinq cents mètres cubes. Si elle s'était détachée au moment de notre passage, une catastrophe de plus eût été sans doute à ajouter à la liste déjà trop longue de la nécrologie du mont Blanc.

En présence de ce nouvel obstacle, il fallait ou chercher un autre chemin, ou passer au pied même de l'avalanche. Vu l'état d'épuisement dans lequel nous nous trouvions, ce dernier parti était assurément le plus simple, mais il offrait un danger sérieux. Une paroi de glace de plus de vingt mètres d'élévation, déjà en partie détachée du dôme du Goûter, auquel elle ne tenait plus que par un de ses angles, surplombait la route que nous devions suivre. Cet énorme serac semblait se tenir en équilibre. Notre passage, en ébranlant l'atmosphère, ne déterminerait-il pas sa chute? Nos guides se consultèrent. Chacun d'eux examina avec la lorgnette la fissure qui s'était formée entre la montagne et cette masse inquiétante. Les arêtes vives et nettes de la fente indiquaient une cassure récente, évidemment occasionnée par la chute de l'avalanche.

Après une courte discussion, nos guides, ayant reconnu l'impossibilité de trouver un autre chemin, se décidèrent à tenter ce passage dangereux.

«Il faut marcher très-vite, courir même, si c'est possible, nous dirent-ils, et, dans cinq minutes, nous serons en sûreté. Allons, messieurs, un dernier coup de collier!»

Cinq minutes de course, c'est peu de chose pour des gens seulement fatigués; mais pour nous, qui étions absolument à bout de forces, courir, même pendant si peu de temps, sur une neige molle, dans laquelle nous enfoncions jusqu'aux genoux, semblait impraticable. Nous faisons néanmoins un suprême appel à notre énergie, et, après trois ou quatre culbutes, tirés par les uns, poussés par les autres, nous atteignons enfin un monticule de neige, sur lequel nous tombons épuisés. Nous étions hors de danger.

Il nous fallait quelque temps pour nous remettre. Aussi nous étendîmes-nous sur la neige avec une satisfaction que tout le monde comprendra. Les plus grandes difficultés étaient désormais vaincues, et s'il restait encore quelques dangers à courir, nous pouvions les affronter sans grande appréhension.

Dans l'espoir d'assister à la chute de l'avalanche, nous prolongeâmes notre halte, mais nous attendîmes en vain. Comme la journée s'avançait et qu'il n'était pas prudent de s'attarder dans ces solitudes glacées, nous nous décidons à continuer notre route, et, vers cinq heures, nous atteignons la cabane des Grands-Mulets.

Après une mauvaise nuit et un violent accès de fièvre occasionné par les coups de soleil que nous avions rapportés de notre expédition, nous nous disposons à regagner Chamonix; mais avant de partir, nous inscrivons, suivant l'usage, sur le registre déposé à cet effet aux Grands-Mulets, les noms de nos guides et les principales circonstances de notre voyage.

En feuilletant ce registre, qui contient l'expression plus ou moins heureuse, mais toujours sincère, des sentiments qu'éprouvent les touristes à la vue d'un monde si nouveau, je remarquai un hymne au mont Blanc, écrit en langue anglaise. Comme il résume assez bien mes propres impressions, je vais essayer de le traduire:

Le mont Blanc, ce géant dont la fière attitude
Écrase ses rivaux, jaloux de sa beauté,
Ce colosse imposant qui, dans sa solitude,
Semble défier l'homme, eh bien! je l'ai dompté!
Oui, malgré ses fureurs, sur sa cime orgueilleuse,
J'ai, sans pâlir, gravé l'empreinte de mes pas.
J'ai terni de ses flancs l'hermine radieuse,
Bravant vingt fois la mort et ne reculant pas.
Ah! quelle ivresse immense, alors que l'on domine
Ce monde merveilleux, ce chaos saisissant
De glaciers, de ravins et de rochers que mine
L'ouragan déchaîné qui hurle en bondissant.
Mais d'où vient ce fracas? La montagne s'écroule!
Va-t-elle s'abîmer? Quel bruit sourd et profond!
Non, c'est l'irrésistible avalanche qui roule.
Bondit et disparaît dans un gouffre sans fond.

Mont Rose, voilà donc ta cime éblouissante!
Te voilà, mont Cervin, sinistre et redouté!
Et vous, Welterhorners, dont la masse puissante
Voile de la Jungfrau la blanche nudité!
Vous êtes grands, sans doute, ardus et difficiles,
Et n'atteint pas qui veut vos sommets insolents;
Car plus d'un a péri sur vos flancs indociles
Que n'avaient point ému vos séracs chancelants.
Mais, regardes ici, plus haut, plus haut, vous dis-je;
Haussez-vous à l'envi, l'un par l'autre porté;
Voyez ce pic géant qui donne le vertige,
C'est votre maître à tous, à lui la royauté!
Vers huit heures, nous nous mettons en route pour Chamonix. La traversée des Bossons fut difficile, mais elle se fit sans accident.

Une demi-heure avant d'arriver à Chamonix, nous rencontrâmes, au chalet de la cascade du Dard, quelques touristes anglais qui semblaient guetter notre passage. Dès qu'ils nous aperçurent, ils vinrent, avec un empressement sympathique, nous féliciter de notre succès. L'un d'eux nous présenta à sa femme, charmante personne d'une distinction parfaite. Après que nous lui eûmes esquissé à grands traits les péripéties de notre voyage, elle nous dit avec un accent qui partait du coeur:

«How much you are envied here by everybody! Let me touch your alpen-stocks!» (Combien chacun vous envie! Laissez-moi toucher vos bâtons!)

Et ces paroles rendaient bien leur pensée à tous.

L'ascension du mont Blanc est très-pénible. On prétend que le célèbre naturaliste génevois de Saussure y prit le germe de la maladie dont il mourut quelques mois plus tard. Aussi ne puis-je mieux terminer cette trop longue relation qu'en citant les paroles de H. Markham Sherwill:

«Quoi qu'il en soit, dit-il en finissant la relation de son voyage au mont Blanc, je ne conseillerai à personne une ascension dont le résultat ne peut jamais avoir une importance proportionnée aux dangers qu'on y court et qu'on y fait courir aux autres.»

Milton Keynes UK
Ingram Content Group UK Ltd.
UKHW050718181023
430840UK00009B/319